萧乾 主编

新编文史笔记丛书

第四辑

44

益州集粹

蕴玉

◎四川省文史研究馆 编

●高朴实 李有明 张小谷 主编

中華書局

目录

史海拾零

文教戏曲

艺苑品藻

民族宗教

山川胜迹

天府饮膳

杂录琐记

序

萧　乾

读书界向来对野史有所偏爱。野史大多是信手拈来的历史片断,且往往出自亲历者之手。文直事核,不虚美,不隐恶,而文笔潇洒自如,意味隽永,自然朴实,篇幅不长;可以摊开来仔细咀嚼,也可供茶余酒后、行旅倥偬中,随手浏览。

鲁迅在《华盖集》中,曾几次对野史表示过好感。在《忽然想到》一文中写道:“历史上都写着中国的灵魂,指示着将来的命运,只因为涂饰太厚,废话太多,所以很不容易察出底细来。正如通过密叶投射在莓苔上面的月光,只看见点点碎影。但如看野史和杂记,可更容易了然了,因为他们究竟不必太摆史官的架子。”又在同书《这个与那个》一文中说:“野史和杂说自然也免不了有讹传,挟恩怨,但看往事却可以较分明,因为它究竟不像正史那样地装腔作势。”

全国文史研究馆所编的《新编文史笔记》丛书,内容也属野史杂说的范畴。我们希望这些以亲闻、亲见、亲历为主的轶事掌故、琐闻杂记,写人、事而摒除误会曲解,述历史而符合真实面目。

作为一种短隽有味,文字清奇而又雅俗共赏的文学体裁,笔记在中国具有悠久的传统。它始自魏晋,盛行于宋代。南朝刘义庆的《世说新语》,北宋沈括的《梦溪笔谈》,南宋陆游的《老学庵笔记》,明朝张岱的《陶庵梦忆》,清朝纪昀的《阅微草堂笔记》以及20世纪30年代初丰子恺的《缘缘堂随笔》,都是文学史上的奇葩。然而,近年来笔记乏人问津。因此,我们出这一套书,也包含着挽回颓势之意。

全国三十二所文史研究馆拥有雄厚的稿源,两千多位馆员和各馆联系的社会人士,都是丛书的撰稿人。他们都是文史界的耆宿,见多识广,阅历丰富:有的反对过帝制,有的在“五四”运动中扛过大旗,他们目睹过军阀的横行霸道,也经历过艰苦卓绝的八年抗战。这些历尽沧桑的饱学之士,他们的所见所闻,都是弥足珍贵的史料。

本丛书分辑出版，分别由各地文史研究馆编辑，内容亦以本乡本土为主。因此，各册势必具有浓厚的地方色彩。

本着笔记固有的传统，所收各文题材不嫌庞杂。举凡与文史有关的政治、经济、军事、文化、社会等方面，或记闻见杂事，或叙往昔交游，或忆社会百态，均在搜罗之列。时间跨度则自清末以迄1949年为止。这正是中华民族从闭关自守到走向世界，从落后羸弱到奋发图强，是天翻地覆、风起云涌的大半个世纪。其间，发生过多少可歌可泣的事迹，涌现过多少杰出的人物。以这一时间跨度为背景题材写出的笔记作品，必然是内容最为丰厚的。

在选稿标准上，我们坚持史料一定要真，内容要新；既要防止以讹传讹，也力避炒冷饭。在写法上务求短小精悍、生动活泼。每篇以千字为度，希望借此在文风方面，提倡一下简约。在版式上，则想做到既利于阅读，又便于携带。

恳切希望文史界方家及广大读者，不吝赐正。

记雷铁崖

金慧海

雷铁崖原名昭性,字泽皆,四川自贡人。少苦读,好为诗文,尤嗜理学。1900 年参加府试,中秀才。鉴于清廷腐败,民族危机日益严重,深感忧愤,始接受民主革命新思想,好谈改革,“激荡于新潮流,民族思想愈勃发不可遏”。斯时,革命人士正云集日本,筹建革命团体。为求革命真理,昭性于 1905 年春到达日本,得识孙中山先生。中山素闻昭性之名,深表器重。1905 年 8 月,中国同盟会在东京成立。昭性经中山介绍,由黄树中(复生)主盟,加入同盟会。此后,即以犀利的笔锋、激进的思想，投身于反清宣传活动。曾任邓絜、董修武等创办的《鹃声》杂志主笔。吴玉章主持《四川》杂志，他为主要撰稿人。为文皆署名“铁崖”，意以雷霆之声震醒国人。文章风行于世，铁崖之名也远扬海内外。

1909年，中山先生将同盟会总部迁到马来西亚槟榔屿，遂命胡汉民电召雷铁崖前往。当时同盟会《光华日报》正与立宪派《新民丛刊》展开论战。铁崖奉中山之命任《光华日报》主笔，常为文驳斥立宪派蛊惑人心的谬论。先后撰长短文百余篇，旁征博引，说理透彻，使对方无可辩解，阵脚大乱，以致一月三换主笔，几至不能出版。华侨在《光华日报》影响下，崇信革命日笃，纷纷捐款支持革命活动。雷铁崖对争取华侨支持革命作出重要贡献，深得中山先生的信赖。

1910年11月13日，孙中山在槟榔屿召开秘密会议，决定筹集巨款，集中力量在广州发动起义。铁崖积极参与准备工作，并在侨胞中募集大笔款项。12月6日，孙中山赴美洲鼓吹革命，临行前，特将两女请托铁崖教读。中山长女孙娫，次女孙婉，皆聪敏好学。铁崖每日在报馆工余，即以数小时为两女讲授诗文、对联。一日，教对联，命试对。铁崖出上联云“有鸟鸣春树”，孙娫即对“无人话夕阳”。铁崖虽嘉奖而暗叹其意境凄凉。1912年孙娫病逝于澳门，铁崖在川惊闻，乃作诗哭之，其中有“一书绝笔悲无复，万里还乡病不知；噩耗聚闻哀往事，蛮风蜒雨学新诗"之句。

1912年元旦,中华民国成立,孙中山被选为临时大总统,乃命雷铁崖为总统府秘书,重要文告大多出其手笔。铁崖眼见党人对袁世凯的妥协态度,大为不满,仅半月即辞职。时人以"廿年革命党,半月秘书官"叹之。此后,铁崖仍奔走海内外从事反袁宣传。

1916年,滇人罗佩金任四川督军,电邀铁崖任秘书长。铁崖以其非中山先生忠实信徒,辞不就职。铁崖终生敬仰中山先生,以中山之主义为惟一信仰。其后见国事日非,军阀连年混战,中山之主义不行于世,遂忧愤成疾,于1920年5月病逝,年仅四十八岁。

江瀚与邹容

苏 知

江瀚字叔海,福建长汀人,清末应川东道黎庶昌礼聘入川,任重庆川东书院、致用书院山长。旋入四川总督奎俊幕。后历官四川、浙江,至河南陈许道。江瀚学识渊博,博古通今,具有维新思想,尤喜奖掖后进。其子江庸,字翊云,留学日本。民国初年,曾任司法总长、朝阳大学校长。解放后,任上海文史馆副馆长、馆长。辛亥革命前,以《革命军》闻名于世的邹容烈士曾受教于

江瀚，与江庸友善。邹容之出国留学，与江瀚、江庸父子实有密切关系。

光绪二十七年冬(1901年1月)，清廷下诏宣布“变法”，各省纷纷选拔青年赴日本留学。次年夏，四川总督奎俊受日人成田安辉之鼓动，也决定选派青年二十二名去日本留学。邹容对学习西方卓有成效的日本早已向往，闻此消息，极为兴奋，认为这是去外国学习新知识，寻求救国救民真理的好机会，便恳求其父邹子潘允其报考。1901年7月1日，邹容不顾亲戚长辈阻挠，毅然自重庆起程，冒盛暑，跋涉千里，历十余日到达成都。是时江瀚正在四川总督衙门作幕僚。邹容前往拜师，江瀚非常高兴，鼓励他说：“去日甚好，中国无一完善学校。”并竭力推荐他参加新政留学考试。考试结果，邹容名列前茅。7月30日，邹容由留学生监督候补知府李立元引见四川总督奎俊。奎俊勉励数语，命邹容回渝整装待发。邹容随即与江瀚之子江庸一道，从锦江乘木船由水路返渝。途中，邹容不幸中暑大病，在嘉定病困十余日，始回重庆。

由于邹容思想激进，平日“非尧舜，薄周孔”，疾恶如仇，为顽固守旧者所不容。当其被录取后，便有人向当局进谗言，“历诋其种种非行不可去”。以是，正当四川首批官费留学生即将出发之际，官府突然取消了邹容官费留学的资格。邹容受此打击，毫不气馁，“东游之志仍勃勃不可遏”，终于征得其父同意，在好友杨庶堪、朱必谦的支持下，于1901年深秋乘小船顺江而下，到达上海。

邹容只身来到上海，路费不多，投亲不遇，一度困坐于北京路厚记川栈，一筹莫展。幸此时其师江瀚已出川，正宦游江南。江瀚知悉邹容之困境，即致函向江南制造局总办毛庆藩推荐。邹容方得进入江南制造局附设的广方言馆补习日语。

至于邹容赴日留学之时间，历来史学界皆有争议，存在1902年、1902年春、1902年7月以后、1902年9月诸说。最近，承黄稚荃先生以江瀚之手迹《壬寅日录》借示，见其中有关邹容之记载数条。壬寅正月十八日云“邹蔚丹(邹容字蔚丹)又有信至”(按：江瀚时在安庆安徽巡抚幕)；二月十八日云“未正回沪寓，蔚丹已久候矣，略谈”；十九日云“蔚丹、必谦偕至”。此“日录”在6月以后即无有关邹容之事。由此观之，邹容之出国必不在1902年春，当在7月以后。

江瀚与邹容师生之谊甚笃，而一般为邹容传记者皆未详叙，故略述其梗概。

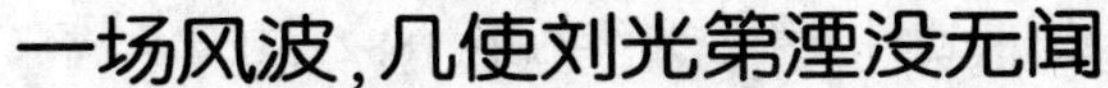

一场风波，几使刘光第湮没无闻

王　筑

清季戊戌变法死难六君子之一的刘光第，

初涉科场曾遭受一场几乎使他终身埋没的风波。

刘光第，四川富顺县人，自幼孤贫，高才早发。光绪五年己卯(1879)，年二十，应县试。经过三天的三场考试，县令陈锡鬯(江西新城人，字洛君)赞赏其文，拔置第一。放榜后，应考士子纷纷喧嚷，扬起风波，攻讦光第父乃剃头匠，子不得应试。按清代律例：剃头属“贱业”。凡从事“贱业”者，其后代不许应考。其实光第之父幼小时被送往剃头店试当学徒三天，学做了一些打打热水、解辫子之类的杂事，随即因故回家另谋生计。而眼红的考生却强持此点，要挟考官，意图使光第所举秀才为无效。当此紧要关头，陈令挺身而出，对起哄者理直气壮地予以训斥：“汝等一场不鸣，二场不报，三场不举！如今三场已过，刘光第名列榜首，汝等却来兴议，明是心怀嫉妒，捕风捉影，滋生事端！”经锡鬯一番义正词严的训斥，风波翕然平静，光第成为入泮(入县学)生员，即秀才。入泮后，其才更为显露，锡鬯愈加器重，对其膏火所需，时有资助。光第母也卖掉惟一的破店面为之广购书籍。不久光第果不负所望，连科及第。光绪八年(1882)，赴省会成都应乡试，中壬午科举人。光绪九年(1883)，赴京应会试，登癸未科进士。嗣后在京服官十五年，著有《衷圣斋文集》二卷，《介白堂诗集》二卷。

刘长述笔名“觉奴”的来由

刘海声

刘光第长子长述,少年参加同盟会。他在四川保路运动中,曾与朱国琛、杨允公共撰《川人自保商榷书》,激起全川保路同志军武装反清,成为辛亥革命的前奏。

辛亥革命后,刘长述在成都从事新闻工作,与李劼人、吴虞、曾安素等成为著名记者。他还以“觉奴”笔名发表文章,创作小说。1915年,他的中篇白话小说《松冈小史》就以“富顺觉奴”名义出版,成为反映四川保路运动最早的现代文学作品(可惜现在竟被人遗忘了)。

他为什么取名“觉奴”?原来1905年他从北京湘学堂转学到成都四川高等学堂时,就为自己取名“先觉奴”写了《释名》。通过《释名》内容,我们就明白他为什么要取名“觉奴”的原因了。下面是《“先觉奴”释名》全文:

> 先觉奴,喟然叹!奴隶已非奴,奴隶之奴,何以视息于天地!彼洋人奴虏满清,汉族又为满人奴,天乎!皇汉之裔,曷为而至此乎!?血气之伦,孰能忍须臾之命,甘为奴之奴而恬然寝食?曷兴乎,皇汉之胄!倾吾人之血汗,以淹没奴人者,一转念耳!先觉

奴，人呼我愤！呼我者，宁不勃然怒！卒然起！我知毁灭强横者有日矣！

早期国民党人徐回天

杨 凝

徐回天(1872—1913)，岳池县太平乡人。早年在檀香山结识孙中山先生，加入中国同盟会。辛亥革命前夕，回川参加保路运动。

袁世凯窃国，四川都督胡景伊充当其爪牙。1913 年 7 月徐在成都成立“西北协进社”，秘密从事反袁倒胡活动。为明其心志赋诗云：

乾坤触目尽灰烟，袁毒中原胡毒川。
不让独夫摧国力，愿拼项血争民权。

8 月，熊克武、杨沧白号召反袁，徐积极响应，事败为胡景伊所捕。11 月与川军第一师参谋长李哲、第二师参谋长张捷先同时在成都皇城坝殉难，实现了他“愿拼项血争民权”的誓言。

死后逢知己

蓝菊荪

抗战初期，陈独秀避难入蜀，由重庆坐划子

溯江而上。船靠江津码头,他上岸观赏风物,走近一家旧书店,看见书架上有一厚本研究《易经》的未刊书稿。陈氏晚年也颇喜治《易经》,翻检数页,十分惊奇,当即询问书店老板,始知作者是江津人,叫杨聿成,字鲁丞。杨乃光绪丁未年(1907)会考贡士,以母老未就,在家浏览经史子集,旁及医药、阴阳五行、西学等,著述亦富。入民国任江津中学监督、咨议员等。民国三年卒于乡,终年五十四岁。陈独秀决心整理杨的书稿,便托人打听杨的家属。不久,杨的孙子杨学渊(时任合江县田粮管理处长)得知陈独秀要整理爷爷书稿,便迎独秀下榻于江津县城近郊鹤山屏杨氏故居。经陈独秀整理的杨聿成的遗著,后由商务印书馆影印线装出版,布套一函,装帧极佳。扉页上题有:"江津杨聿成先生遗著六种,怀宁陈独秀仲甫编纂,魏建功署签。"此可谓,杨氏死后逢知己。

徐思平巧求赵熙撰写碑文

王 筑

国民党政府兵役部次长徐思平,四川荣县人。少孤贫,母为人浆洗,资其读书上进。1942年,徐尚在四川军管区司令任内时,缅怀母爱,欲求同县乡贤赵香宋先生(赵熙,字尧生,号香

宋)为慈母撰铭书丹,刻石于乡,以寄孝思。但觅何人往求,却费踌躇:如贸然委不当之人前去,恐有炫示名位不敬乡先生之嫌,而事或将不谐;且虑香宋怡情诗酒,即便允为,亦恐一时难以动笔。忖度之际,忽忆中学同级龙尊三在县任邮政局长,常出入赵宅,为其奔走杂务。如托渠相机巧求,则事可望成。意决后,适龙因公赴省会成都,徐即以此事托之。龙返荣后,频去赵宅。一日见香宋小饮之余闲适无事,情致甚佳,遂以此事恳。当即详陈徐母抚育事迹及思平经历,婉请香宋于近期内便中为之撰文书丹。香宋听后便说:"我就为他拟个稿吧。"言毕,即于一笺上欣然命笔,其文曰:"徐母范太夫人,苦节半生,教子成名。子思平为学有成,旋莅军职。今官全川军区司令,国倚其勤,民赖其荫。县人讴之,为之刻石东山,以志不忘。民国三十一年辛巳,赵熙记并书。"龙注视香宋于片时内书数十字概括其事,大喜过望。随即持笺赴省报徐,并言将觅机再促香宋书石刻文。而徐实已于愿足矣,就说:"不必再烦扰赵先生了。"翌日即以此笺委照相馆逐字扩印,随后即延工刻于荣县东山之擦耳岩,盖岩下乃行人必经之道也。

此事龙尊三为我言之甚详。

陈翔鹤卖“笺谱”

李华飞

鲁迅在文章中把创造社、未名社、沉钟社并列为“现代文艺方面有力的”文学团体。沉钟社的主将有陈翔鹤、杨晦、冯至、陈炜谟、林如稷等。陈翔鹤,重庆人,上海复旦大学外文系毕业,文学上很有造诣,因而在文坛上也很知名,因思想进步,教书常被解聘,生活困窘。

1943 年腊尽冬残时节，陈翔鹤抱着蓝色印花布小包到春熙路重庆银行找我。他愁郁着脸小声说:“今天是腊月二十五了，轮到该我奉养老母亲，为了让她年过得高兴，就需办点年货……”边说边把小包打开。

“北平笺谱,鲁迅编”,几个大字映入眼帘。“请你替我卖了。”语气仍很低沉,明显看出卖掉并非出自意愿。我心被刺了一下:“不必卖,需要钱我给你想办法。”出乎意料,翔鹤似发怒地猛然瞪大了眼睛:“别误会，我不是来找你告贷的！”

我与翔鹤相交数载，深知这位著名文学家的倔强性格。他历来廉洁自持,生活俭朴。文协成都分会的刊物《笔阵》停了,四川省教育厅长郭有守找陈说:“由教育厅出钱办，你还可以来厅里兼个差。”翔鹤回答得很干脆:“我不能给你们当吹鼓手,对不起,请另找高明!”思念及此,我委婉地问道:“老大哥,怎么个卖法?”

“五千块,一个不少;要卖给行家。”

“好,照办。”我把他送出银行的大门,远远还听着他脚步沉重的回声。我去至羊市街“诗婢家”找郑伯英。郑有一手好装裱艺术,张大千、黄君璧等名家的画都是由他包揽。

“郑老板,有好事找你!”

他忙取下身上的围腰布,带我进入内室。我打开布包,说明来意。郑伯英把“北平笺谱”翻来覆去看了又看,爱不释手:“多少钱?”我斩钉截铁地说:“五千块,一个不少。”他是识货的,顿也没顿说:“好,五千就五千。”

替陈翔鹤卖掉心爱之物,此后我每见着他,总感到深深内疚和不安。

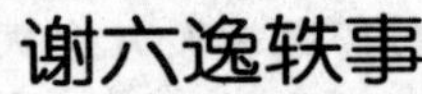

谢六逸轶事

王子壮

谢六逸早年在上海任中国公学、复旦大学教授时,即蜚誉沪滨。抗战军兴挈眷回黔,任贵阳大夏大学文学院长, 亲授中国文学史概论课程。他教诲学生,循循善诱不倦;待人接物,正直谦和有礼。在教师和学生中不愧师表。抗战期间，待遇菲薄，物力艰难，六逸仰事俯畜，常现拮据。又因敌机轰炸频繁，乃迁居贵阳西郊一农舍中。

六逸对学生不只注重课堂教育，且甚注意带到社会上去接受课外知识。一日老师带我们中文系同学去参观贵阳文通书局印刷厂的制版、印刷等工序，我们应约先到老师家集合。因屋小人多，乃围坐在门外木条凳上。但见老师住处简陋，四壁萧然。师母亲手攀摘庭前李子盛盘中，权当茶点招待我们。目睹这清贫情景，我们无不感动欲泣。在参观工厂结束后座谈，他一一询问我们参观心得，并勉励将来都能为抗战出力，为文化事业作贡献。

1945 年初，日军疯狂挣扎，向黔、桂大举进犯。时余正在黔南供职，遽传六逸师溘然逝世，享年仅五十六岁，未及亲见抗战胜利为痛。当时贵阳师院李独清教授在挽诗中有“可怜贫也身非病，孰令致之道已穷”，“盖棺未久传洪捷，家祭须当告放翁”句，概括了六逸师的死因和遗恨。

徐悲鸿“为五斗米折腰”

屈义林

1943 年初秋，徐悲鸿从青城山回到成都。在朋友们的怂恿下，于成都祠堂街美协展厅举办了一次画展。画展中有他的许多代表作品，如巨幅油画《田横五百士》、巨幅彩墨画《愚公移山》、《群狮》及新作《山鬼》等。这些画都是非卖品。另外有少部分画可出卖，但标价并非“法币”，而是大米。因为当时“法币”不断贬值，朋友们为他作出这个主张。作品标价最高的是二十石大米，标价最低的只有一张约二尺多高的条幅单马，为大米五斗。因此，重订的人多到二十余个，重订的名单夹满了画幅的两侧。

徐悲鸿既要接待一些求访者，又要忙着回重庆。赶制这批重订画，几乎全在早晚，两天才完成几幅。他不禁感叹道：“陶渊明不为五斗米折腰，挂冠而去。我却为五斗米折腰，如此多次，难怪我腰痛难愈了！”在他身边的同学也随着他的苦笑而笑了起来。于是，两三位同学便为他分担“依样画葫芦”的工作。最后，由他过目、修正、签名盖章，了此画债。

张大千与上清宫

李金彝

张大千对峨嵋、青城山有偏爱，尤爱青城，甚至把家也搬上青城山的上清宫。从 1939 年住起，到 1948 年止。中间除了到敦煌去临画的时间以外，基本上是在上清宫度过的。

大千先生喜爱青城，主要是那里特别幽静，早有“青城天下幽”之称。道书又称那里为“第五洞天九仙宝室之天”，而上清宫又在青城山顶，俯览全局，气象开阔，翠浪东倾，历历可见。大千先生把这里作为住家、读书、创作、会友的地方，确是很理想的。事实上，他的有青城山特色的名作，差不多都是在这段时间完成的，如《青城第一峰》、《蜀山秦树图卷》、《青城山红叶彩蝶图》、《张天师像》、《雨后丈人峰》、《青城十景》、《红叶小鸟图》、《花蕊夫人像》、《麻姑像》等等。有的已为上清宫勒石，至今犹存。

先生在上清宫的生活，是紧张的。白天写生有时带着女儿，拉着山藤爬金鞭岩；有时又带着猴子、黄鹂、白鸦到普照寺、雪山寺为鸟兽写生。肚子饿了，就坐在山岩上啃冷冰冰的干锅魁。晚上还要清理画稿，秉烛挥毫，常常弄到深夜。

先生虽然工作紧张，但对民间艺人特别重视。青城太平乡有个老艺人陈星南，既能绘画，又能塑像，上清宫大门上的门神，就是他画的，胡须有两尺多长，笔笔到家。天师洞牌楼上画的吹牛大王，香积寺画的鸡骨禅师，圆明宫画的纯阳跨鹤等，都很生动。大千先生看了十分赞赏，并决心去拜这位民间老艺人。于是特地从成都买回缎帽、呢鞋、衣料等礼品，亲自上门拜访。老人喜出望外，相与畅谈甚欢。这虽是一件小事，却值得我们深思。大千先生去敦煌之前，一一给上清宫人作画留别。给道友彭椿仙画的是《铁岩苍松图》,上边还题了一首短诗:“苍岩铁削藏青葱,坚贞不受暴秦封,浩浩飒飒来天风,只恐旦夕成飞龙,骑龙顾盼君何雄。”旁边还题有几行字:“倭据故都之明年,予始得间关还蜀,来居青城。初识彭真人椿仙,岁月不居,忽二三年。顷将西出嘉峪,礼佛敦煌,写此为别。……”给彭鹤年道长的《青松图》题诗为:“老松阅世千年春,人是栽松昔日人。沧海扬尘陵谷改,仙家岁月自长春。”给傅元天道长画的《荷花图》题为:“太华峰头玉并莲,花开十丈藕如船。”

1943年年底,大千先生从敦煌回来,又从成都把家重新搬回上清宫居住,并把甘肃天水的特产红爪玉嘴鸦大小十几只带回放在青城山喂养、繁殖,还在上清宫旁种植了百多株梅花,为青城多添了“梅林”一景。从这也可以看出他和上清宫在感情上的联系。另外广东华侨杨明开在美国开了一家青城山中国餐馆,招牌“青城山”三个大字是特地请大千先生写的。餐厅中的一幅巨画《青城第一峰》也是大千先生画的。最妙是这里的两份主菜豆瓣鱼和麻婆豆腐的烹调技术,也是大千先生亲自传授给厨师的。

冯玉祥在泰安

乐以钧

1932年,“一二八”战事爆发后,有一天,冯玉祥将军邀请我兄长乐以勋(齐鲁大学牙科主任)去泰安给他看牙。我和嫂、弟便随兄长抵泰安。兄长径直赴冯将军处,我和嫂、弟三人住在一家普通旅馆。次日,冯将军派人来请我们去吃便饭。冯住在一座古庙内,警卫并不森严,而庙内打扫得干干净净。我们随来人走进冯的书房。冯正伏案写字,当他见到我们后,立即放下笔迎了过来。经以勋介绍后,分别就座。冯玉祥态度和蔼,不拿架子,谈话耿直,待人友善,我们也无拘无束。谈话从“九一八”到“一二八”,又谈到我们的工作和学习,以及我们对当前时局的看法等等。在谈话中我仔细地打量过冯先生的穿着。他穿着齐膝长的粗布大衫,腰系大带,裤脚还用带拴上,布袜布鞋,活像山西农民打扮,怎么也与一个司令长官对不上号,不禁失笑。冯玉祥问我们笑什么。我就把在上海听到关于冯先生的传说告诉他,说:“有人说你标榜自己与士兵同甘共苦,实际上是裘衣美食。”他说:“你们看是那样吗?”我们互相看了看,又上前去摸了摸他穿的衣服,不约而同的说:“不是。”午饭是在屋

檐下台阶上吃的,没有桌、凳,蹲着吃,可谓名副其实的便饭。冯将军和我们一样,他的士兵也一样,七个八个一桌,静静地吃着。冯玉祥带着几分歉意地说:“这就是我招待你们的便饭,不知道你们四川人吃不吃得上口。”我们立即回答说:“很好。”饭后我们告辞,冯玉祥取出一副他亲手撰书的对联赠送我们做纪念,上书:“粉身碎骨都不怕,留得清白在人间。”这副对联我一直珍藏到今天。

王世杰任军委会参事室主任纪略

金绍先

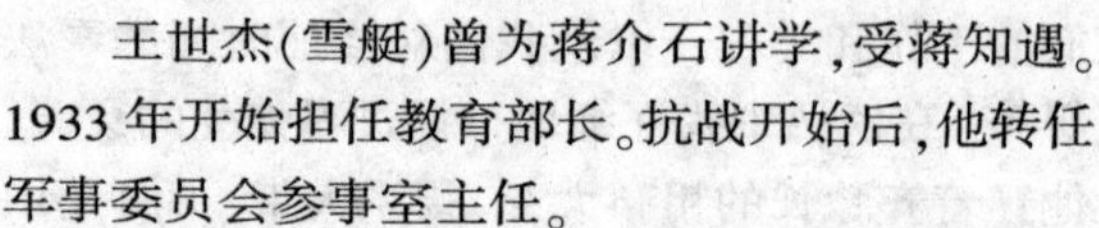

王世杰(雪艇)曾为蒋介石讲学,受蒋知遇。1933年开始担任教育部长。抗战开始后,他转任军事委员会参事室主任。

军事委员会参事室,是蒋介石学罗斯福的“智囊团”而设置的,下面只设六七个参事和四五个专员,局促在重庆桂花街一个花园小院里。但它却无事不管:有关国共关系、外交、财经、工业、战后复员等重大问题,一般都要听取参事室——“智囊团”的“意见”,它对蒋氏的决策确曾起重要作用。如,1944年冬,孔祥熙向蒋氏提出在四川征收人头税，美其名曰“国民义务劳动税”。蒋氏把这个案子送到参事室审议，王氏怕因此会迫使四川老百姓造反，强烈反对，使这个专案计划被打消了。

抗战时期，外交部长宋子文，因对美外交已把时间占满，无法兼顾对英外交，特别在抗战后期，对英外交实际上是由王氏分担。王氏是中英庚款董事、中英文化协会会长、中国留英同学会会长。1943 年又派他担任访英团团长，他到英国会上下两院演讲，并拜访邱吉尔首相。

据我所知，在他私人谈话中，对蒋介石、毛泽东、周恩来都称“先生”。1943 年，蒋介石的《中国之命运》发表了，规定大小官员都要写一篇《读后感》，王氏请一位参事替他写，写出洋洋洒洒数千言，结果被王氏一笔勾掉，自己写了“君子不念旧恶”六个字交卷。这在一定程度上也说明了他以学者从政，还未失去书生本色，对蒋氏还是不拘形迹，敢于说话的。

猪鬃大王古耕虞

涂崇林

著名爱国实业家古耕虞的一生，是富有传奇色彩又富有成就的一生。他从二十岁开始，接受了他家三代相传、独资经营猪鬃的“古青记”。

经过数十年的惨淡经营，在与同行业的竞争中，逐步成为民族资本的大企业，再一跃而为世界驰名的托拉斯组织——四川畜产公司。他所经营的虎牌猪鬃，最高时曾达到世界总产量的百分之七十，被誉为“猪鬃大王”。

古耕虞能够将“古青记”发展成为四川畜产公司，原因固然很多。例如：他能够从时局的变化中，把握生意成交的好时机；善于从价格多变的市场活动中，探索猪鬃贸易的规律；善于为企业聚集和培养人才等等。但最重要的一条，是极端重视产品质量和企业信誉。他认为：顾主是我们的衣食父母，失掉一个顾客，就减少一份利润；大部分买主跑掉了，企业就要关门；一个企业能不能在竞争中站稳脚跟，进而占绝对优势，取决于它的商品在和同类商品对比中，是不是任何时候都优于其他商品，都是第一名，而不仅仅是第一流。他在经营活动中重合同，守信用。无论市场情况发生了什么变化，从未有过成交以后不能交货或毁约之事。他为创造同类商品中第一名的优质产品，除聘请、培养和稳定自己的优秀技术人才外，还根据用户的意见，制定了一套严格的产品标准，凡不符合规格的产品，一律不出售。因此他经营的虎牌猪鬃赢得了欧美厂商的信任，在世界市场上享有很高的威信，各地海关只要见到是虎牌猪鬃，一律免检放行。古耕虞极为重视虎牌商标，数十年来，他经营的企业名称几经更换，但虎牌商标则始终没有改变。

新中国刚刚成立，古耕虞就把自己经营的企业——四川畜产公司交给国家，他也到国家外贸部门任职，为社会主义新中国不遗余力地工作。在一次会上，我曾听到他讲过一段话。他说，我这一生，由封建的“古青记”转入资本主义的四川畜产公司，现在又由资本主义转入社会主义。三种制度，在别的国家所经历的时间是以百年计，而我则在二十几年就度过了。现在我仍值壮年，为党为人民服务的时间还相当长。这番话充分表达了一个爱国企业家跟着党奔赴社会主义的宽广情怀。

“大志凡夫”王恩洋

吴天墀

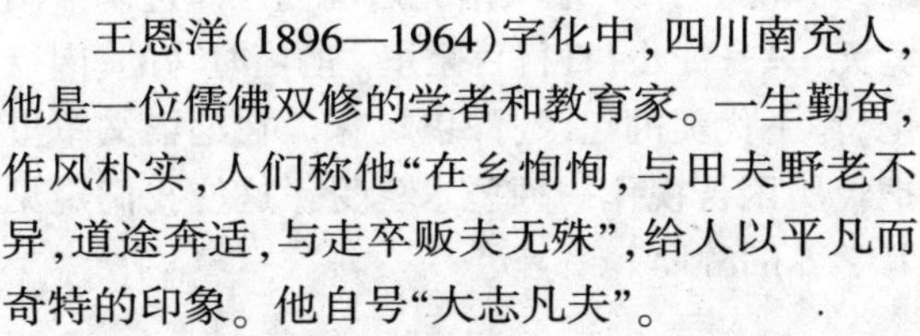

王恩洋(1896—1964)字化中，四川南充人，他是一位儒佛双修的学者和教育家。一生勤奋，作风朴实，人们称他“在乡恂恂，与田夫野老不异，道途奔适，与走卒贩夫无殊”，给人以平凡而奇特的印象。他自号“大志凡夫”。

1919年3月，他去北京。当时李大钊、王光祈等倡办工读互助团，编成三组，即告满员，他便约集同志另立了一个第四组。他每日步行十余里，到北京大学听课，其余时间就劳动。是年，北京爆发了大规模的学生示威运动。北洋军阀政府出动军警镇压，逮捕群众二千多人，又择首要四十名，判刑投狱，其中就有王恩洋。他在狱中写过古诗多首，表达了救国的志愿。出狱后，他自任工读互助团第四组组长，重筹资金，置机打线，卖饭供膳，附售文具用品。他每天同大家一起劳动四五小时，又赶到北大听课。

他在北大旁听中国哲学和印度哲学。马叙伦讲《庄子》和"宋儒学案"，梁漱溟讲《印度哲学概论》和"唯识哲学"。梁漱溟安排先讲"东西文化及其哲学"，这个论题在学术界颇引起争议，赞否不一。王恩洋认为欧风美雨漫天盖地迎头打来的时候，有人能为孔子、释迦打抱不平，讲公道话，内心很佩服。此后他潜心儒学，并往南京就学于欧阳竟无之门。

王恩洋深究佛、儒之学，乃是志存救世，虽致力著述，而情深信笃，身体力行，厌弃空谈。他二十三岁起，即断荤腥，过着布衣粗食的简陋生活。1940 年冬初，他从南充启程往江津进谒欧阳竟无，只身徒步，日行百余里。他当时写的《南行记》作了优美的纪录，深堪玩味。在这篇文章里把经历困苦视作一种艺术享受，这使我们窥见其学养的醇厚。

林卓午在成都

李兴辉

林卓午(1889—1957),字叔卿,福建省福安县人。20年代,任上海邮政管理局副邮务长。当时我国的邮政大权尚为外国人所控制。1928年,林卓午领导全国邮务职工会,配合朱学范领导的邮务工会,通过不懈的奋斗,终于从外国人手中收回了邮政自主权。在此期间,林卓午到厦门处理一桩洋人局长殴打中国职工的事件,并责令这位专横跋扈的洋人写了悔过书,又报请总局革除了他的职务。林卓午此举虽为中国人伸张了正义,却也因此而遭忌,遂于1932年被调往成都任川西邮政管理局副邮务长,局长为意大利人卡法利络。

林卓午在川任职期间,正值四川军阀混战最为激烈的年代。大小军阀争雄割据,政令自出,苛捐杂税多如牛毛,加之四川历来交通不便,从而给四川人民带来了更深重的灾难,也给邮政工作造成了极大的困难。当时川西地区的商品,尤其是百货、药品、五金、化工等大多是从上海用邮包寄到成都,再由成都流通到其他地区。四川军阀为了扩充军费,中饱私囊,竟悍然制定了一条国内外从未有过的“邮包税”。这样既增加了商品的成本，也加重消费者的负担，引起工商界和消费者的不满。为此，林卓午多方交涉而未果，正义激愤之下，与成都商会的王鸣剑等人筹划举行全市商店停业罢市。此事得到工商界和民众的响应。事态闹大了，引起了南京政府的重视和干预，四川军阀才被迫取消了“邮包税”的规定。

不久林卓午由军委会委任为中华邮政第三段少将军邮总视察，负责晋、陕、甘、宁等省的军邮工作。抗日期间，林卓午赴延安商谈国共通邮达成协议，周恩来为之题词：“邮传万里，国脉所系。”赞誉他的功绩。

先父蒙文通与钱穆、汤用彤的友谊

蒙绍鲁

1923年前后，父亲执教于重庆联合中学和重庆第二女子师范学校。从友人蒋锡昌处，得见钱穆在苏州第三师范校刊发表的《先秦诸家论礼与法》一文，惊其宏旨能与廖平之说相通。虽从未晤面。但喜学术上相知之难，遂工楷为书，盈万言，云天万里，寄钱穆共论学术。此乃两位学人后来一生友谊之始。

不久,父亲为探讨同、光以来中国经学之流变并欲看望钱穆,遂离开重庆南走吴越。至南京时,曾拜谒太炎先生,与谈古今之变。于南京,得识宜黄欧阳竟无大师,探问唯识法相之学,深感以治经之法以研佛典之重要,遂入大师所办“支那内学院”,潜心研习佛家哲学,与同窗好友汤用彤、熊十力、吕澂朝夕相处,谈古论今,相得益彰。

1931年,父亲去河南开封执教于河南大学,对周秦两汉学术思想之变迁又提出新的论述。认为:秦行法制,是行先秦法家思想,孔孟所述乃周制;汉代经师之说,非周非秦,实汉儒之理想。此时,钱穆、汤用彤执教于北京大学。1933年,父亲应汤用彤之邀,亦由开封去北京,执教于北京大学。

据钱穆所著《师友杂忆》(1983年版)所记:“文通(至北京)初下火车,即来汤(用彤)宅。在余室,三人畅谈,竟夕未寐。曙光既露,而谈兴犹未尽。三人遂又乘晓赴中央公园进晨餐,又别换一处饮茶续谈。及正午,乃再换一处进午餐而归,始各就寝,凡历一通宵又整一上午。不忆所谈系何,此亦生平惟一畅谈也。”

卢沟事起,抗战军兴。父亲携家南归,执教于四川大学、华西大学。钱穆、汤用彤亦随校南迁。国事日非,颠沛流离。不久,钱穆亦来成都执教于华西、齐鲁大学,与我父情谊仍深。抗战胜利以后,钱、汤北归,与我父仍时通音讯。但从此，父亲与钱穆即未能晤面，而怀念之心，始终如一。

记赵一曼一席谈

萧　烈

1926年冬，我参加北伐战争，在江西打败孙传芳后，回到武汉，正值中央军校武汉分校招生，赵一曼来投考，这是我第一次与她见面。她首先说："你的未婚妻郑玉冰与我是女中同班同学。她原准备与我同来，后因她父母有顾虑，认为一个年轻女子出远门，不放心，因此未来。"她考入武汉分校后不久，因病住在武汉医院。我去看她，她就兴高采烈地谈起在日英帝国主义先后制造"五卅"惨案和"沙基惨案"之后，她们宜宾女中学生抵制仇货的动人事迹：

"我们在宜宾干了一件轰动城乡的事，就是英帝国主义的一只轮船满载煤油驶到宜宾。我们女中的同学首先发动一些学校的同学和一些群众前往抵制，不准该轮靠岸卸货。它无办法，只好在河中抛锚。因无划子去接，乃将轮上的小艇放下，自行划到岸边，上来了三人。我们就派三组人分别跟着他们，他们要买东西，我们就劝阻老百姓不卖给他们。他们到美孚公司去找到经理李伯伦活动，李暗中以重金收买渡船工人，于晚上将渡船驶到轮船边,偷偷卸货。我们得悉后,就全体动员,一齐跑到河边。卸货的渡船,刚靠岸,我们就一拥上船,将所卸的煤油,一桶一桶的抛到河里。你的未婚妻郑玉冰在这次斗争中非常勇敢, 你应写信赞扬她。我们虽积极抵制,但英国人还是不甘休。他们找当地驻军的城防司令官,派兵来弹压。我们不仅不退让,反而更加愤恨。我们扩大宣传,发动学生罢课、市民罢市。军方怕事态扩大,不可收拾,乃劝英轮驶去。事态虽告平息,但在暑假时,城防司令部认为:学生的气焰嚣张,不可滋长,勒令学校将全班学生开除,下期不准入学。校长迫于军方的威胁,只好遵命挂牌。由于同学们的抗争,乃由宜宾县党部开办一个中山学校来收容。我因此来武汉投考军校未去报到, 郑玉冰她们现在在该校上学。"

贺龙布告安民

周望潮

1936 年春夏之交,贺龙、任弼时、关向应率领的中国工农红军二、六军团长征来到了滇西北迪庆藏区。贺龙在中甸藏经楼亲切接见喇嘛,讲解红军抗日救国的主张和党的民族宗教政策,请喇嘛寺帮助红军筹办粮秣。贺龙等还欣然

接受归化喇嘛寺的邀请，出席了寺院特为红军举行的“跳神”活动，并向喇嘛寺赠送了一面红绸锦幛，上书“兴盛番族”四个大字。

当二、六军团继续北上准备与徐向前领导的红四方面军在甘孜会师的时候，贺龙又以中华苏维埃共和国中央革命军事委员会湘鄂川黔滇康分会主席的名义.颁发布告如下：

> 本军以扶助藏民，解除藏民的痛苦，兴藏灭蒋，为藏民谋利之目的，将取道稻城、理化(理塘)，进康川。军行所至，纪律严明，秋毫无犯。幸望沿途藏民群众以及喇嘛僧侣，其各安居乐道，勿得惊惶逃散，尤望各尽其力，与本军代买粮草，本军当一律以现金按价照付，决不强制。
>
> 如有不依军令或故意障碍大军进行者，本军亦当从严法办，切切此布。公历一九三六年五月。

红军的革命宗旨和政策，像春风似地吹遍了藏区，迅速解除了广大藏族同胞的疑惧，受到了热烈的欢迎和支持。从中甸通往甘孜的路上，无数欢迎的人群簇拥在路旁，有的献上糌粑、酥油、奶茶，有的帮助抬伤病员，也有的要求随军北上。

倡导中西医结合的肖龙友

金文明

肖龙友(1870—1960),名方俊,字龙友,号息翁,三台县人,生于清同治九年(1870)。幼聪慧,攻经史,喜书画,广泛涉猎方技医书、经世新学。弱冠,入成都尊经书院词章科,博览群籍。

光绪十八年(1892),成都流行霍乱,死者无数。龙友陪同陈蕴生沿街巡视,用中草药救治患者甚众。清光绪二十三年(1897)选为拔贡,留京城充八旗官学教习,后任山东嘉祥、钜野、淄川知县。民国十七年(1928)自感浮沉宦海数十年,无益于国民,毅然弃政从医,在北京西城建立诊所,名曰“息园”。求诊者接踵而至,北京人尊他为四大名医之首。

1934年国民政府在南京召开卫生会议,提出在大学中仅列西医,取消中医,并不许中医独立建校。肖龙友对此无比愤慨,声言:“医学关系国家存亡,非同小可。吾敢断言,纯用西法,未必能保种强国,如能提倡中西医并用,或有振兴之日。”同时,他与北京名中医孔伯华、瞿文楼创办“北平国医学院”,自筹资金,自任院长。以示抗议。肖、孔、瞿三大夫轮流出诊,以诊费补充教育经费。学校兴办十五年,毕业学生数百人,成为

挽救中医药事业的一支新秀。

肖龙友力倡中西医结合,不分门户。声言:“医药为救人而设,本无中西之分。研其道者,不可为古人愚,不可为今人欺。”1949 年建国以后,龙友即将息翁改为不息翁,以示自强不息。1960 年 10 月 20 日,肖龙友与世长辞,享年九十岁。

韩文畦登台讲自治

邹作圣

韩文畦(1895—1983)青年时,命途坎坷。他毕业于四川省法政学堂,曾短期在内江中学任教,旋去职在乡间一小学执教,亦受权势者排挤。其业师陈瑞林,1921 年推荐于川北嘉陵道尹黄肃方,任公署三等科员。韩文畦在南充与地方耆宿秦树风偶有过从,秦推重其学识,转介于张澜先生。其时张澜因母丧回南充乡居,为地方办《民治日报》,并聚川北各县绅耆于南充座谈民治事宜。因秦推荐,张澜约韩面谈,询以自治之道。文畦本学所知,竭诚倾吐,抵掌而论,日晏犹未已。张澜大为惊异,说道:“有了你这样的才具,我们阵营定有起色。”不数日,张澜前往嘉陵道尹公署,道尹黄肃方以为张澜前来看望他,即迎入内。张入公署后,边走边对黄肃方说:“今天是看韩科员的,不劳你相陪了。”黄怔住了。张澜原为四川省长，竟不耻下问一科员，在官场中实为罕见。接着张趁约聚川北地方人士座谈民治的机会，敦请吴玉章先生讲《人民权利理论》，并推韩与会，作《地方自治原理》的发言。韩登台侃侃而谈，满座皆惊。张澜对黄肃方说："今后川北自治，应多倚重韩君之力。"文畦于是升任公署教育科长。1922年，嘉陵道推行地方自治，韩文畦出任西充县知事。然官场积弊太深，与改良理想格格不入，不久辞职。他与张澜结成了忘年之交，随张澜加入中国民主同盟。张澜逝世后，文畦有怀念张澜诗《怀旧》二章。其一云："果州腾淑气，岳立表方翁。当隐能伸节，乘权不改穷。乐贤朝吐哺，纾难老依风。遗范嘉陵道，群英倜傥同。"

黄敬临并非御厨

廖上柯

20世纪30年代，黄敬临息影政坛，自称锅边镇守使。他经营了一家异军突起、独树一帜的"姑姑筵"餐馆。他是美食家，欢喜研究创新，不囿守一般宴席程式。并且，把美食、美器、美(环)境和大方典雅接待应对有机地结合起来，在川菜中长期保持着一支独秀，称为"黄派"，闻名全国。蒋介石、张学良来到成都，亦以能一尝黄氏烹调为快。于是,外界传言,黄敬临曾经是清宫御厨,在詹事府曾为慈禧太后和光绪造过御膳。其实,根据林思进主编的《华阳县志》载:“黄敬临祖籍江西,入籍四川华阳。清末毕业于公立四川法政专门学校,进入政界,先后作过四川射洪、荥经知事、县长。并未有科举、功名,亦无入清宫供奉事。”他被说成是“清宫御厨”,亦不是毫无缘故的。那是1935年的事:那年,蒋介石初到成都,刘文辉设宴为蒋接风,要黄为他备办一台高档酒席。黄自然使出浑身绝招,珍馐罗列。蒋介石赴宴后,赞不绝口。问道:哪来的厨师,作得如是精美?刘说:这是他治下一位县长,美食家。今天委员长光临,特地调他前来伺候。适值黄敬临白衣高帽来上主菜。刘当面为蒋介绍。蒋说:“你做的如此精美。清宫御厨,亦不过如此。”此后,“黄敬临曾是清宫御厨”之说,便传遍成都了。

成都早期的汽车

何翔迥

20年代前期杨森在成都修筑马路后，成都市面始有汽车。开办最早的汽车公司叫华达汽车公司。

1924年，我的二哥何嘉谟(号肇禹)从法国留学归来，看到成都的主要交通工具还是轿子和人力车(又叫黄包车)，十分落后，遂产生了想要改变这种现状的念头。他向父亲何羽仪谈到在法国的见闻时说，外国的汽车很普遍，城市、农村到处可见，作为四川省会的成都，却连汽车影儿都没有，实在太不像样了。他竭力说服父亲出资购买汽车,成立汽车公司。父亲虽是满清秀才出身,但思想颇为开明,对开办汽车公司也很感兴趣,表示同意。但要一下凑集大笔资金却又很感困难。其时,天全县有个经营石棉和云母的商人胡又新,与我二哥甚为交好,他听到此消息,愿出资合办,以成其美。于是,何、胡两家共同筹集资金十万元,准备成立华达汽车公司。经向当时四川军务督理杨森请求,获准后,接着便开始了紧张的筹备工作。公司专派何嘉谟携款赴上海向美商怡昌洋行购买美国福特客车七部构件,于 11 月经水道运回成都。同时还在上海聘来了郑月亭、段泽有两位技师,负责汽车的安装修理和驾驶人员的培训。很快汽车即安装完成,每车可乘坐三十人。

公司设在实业街,1925 年 1 月,正式剪彩成立。其组成人员有:董事长何羽仪,经理胡又新,协理何嘉谟,技术室负责人郑月亭、段泽有,业务室负责人张芝房(留法学生),财务室负责人何嘉惠(即翊迥)。另外招收了三十多名初中毕业生进行技术培训,培训期满分别担任驾驶员和修理工。1 月底,华达汽车公司正式在成都市内开始营业,共辟六条专线(东西南北各一线,中区二线),每线设站七至十个,各站均有站牌,每站收费五十至一百文(铜圆)。成都市面至此始有公共汽车。营业之初,有五辆汽车投入行驶。花会期间,还特别增设开往青羊宫的专线,为花会游人提供方便。

成都出现汽车后，不仅为市内交通带来便利，还给这座古城带来了生气。一般市民大多争相乘坐，交口称赞。但这一新生事物很快就遭到封建守旧势力的攻击和反对。他们四处散布流言蜚语，说汽车会冲倒房屋，压坏街道，冲撞神龛，甚至无中生有不断制造出骇人听闻的“市虎”伤人的消息，以事中伤。一些思想顽固的官僚士绅联名上书政府，要求禁止汽车行驶。杨森顺应其请，遂令华达公司停止在市区行驶。这样，华达公司在市区营业仅二三个月即告收场。

5 月，成康马路成都至新津段修成，华达公司乃与成康马路局正式订约，缴纳通行捐，改在成新路上开展客运业务。因成新路为泥土路面，路基不良，汽车行驶，尘土飞扬，路人叫苦。一些推“鸡公车”的害怕失业，也群起反对，兼以汽车易遭损坏，而车胎和零件又难买到，坏车无法维修，以致业务难于进行。1927 年，作为四川第一家城市公共汽车公司的华达公司，在反对声和亏本的惨景下宣告停办。

四川保路同志会诞生记

黄　绶

宣统三年四月(1911 年 5 月)，满清政府宣布铁路“干路均归国有，定为政策”，并与英、德、美、法四国银行签订《粤汉、川汉铁路借款合同》,借款六百万英镑,任命端方为粤汉、川汉铁路督办大臣,强行收路。四川绅民咨议局当即联合各界人士,开展了"破约保路"运动,请同情此运动的护理川督王人文代奏力争。清廷严旨申饬了王人文。盛宣怀(邮传部尚书)和端方又于五月初五(6月1日)发来"歌电",指示对已用、未用和保款员放债倒帐的川路原有股款,分别采取发给国家铁路无息、有息股票和不予承认等三种办法处理。五月十三日(6月9日),邮传部又发出"元电"令各地电报局禁止收发"违抗铁路国有政策"的有关电报。川汉铁路公司乃于五月十五日(6月11日)在蓉举行临时会议,商讨此事。与会人士齐声谴责,朝廷不仅要夺路,而且要谋财,主张强硬对付。还有人提出举办保路同志会,向清廷争路权。咨议局正副议长蒲殿俊、罗纶等遂于会后呈请王人文批准成立保路同志会。王对此作了"不加干涉"的表示。同志会筹组工作,旋即开始。

五月廿一日(6月17日),川汉铁路公司召开临时大会,讨论四国借款合同。有的发言人在说到"这个合同一签订,铁路完了,四川也亡了"时,悲愤交加,声泪俱下。人们受其感染,亦激动异常,愤然大骂盛宣怀卖路卖川卖国。面对此情此景,罗纶意识到宣布成立同志会的时机到了,登台发言说:"收路国有,又与四国签订借款合同,其条件规定,除以两湖五百二十万厘捐作抵外，自路线工程，用款、用人、购料、利息等各项路政所有权，概予外人，我国不能染指。如此抵押借款修路，实以我三千六百里之实权授人。吾国东南，从兹已矣！昔日亡印度者，三百万英镑之一公司尔；今踞吾东南者，六百万英镑之四国银行。丧权辱国，莫此为甚！盛宣怀、端方既夺川路，又夺股本，还要禁发路事电报，封锁舆论，真是岂有此理！不能容忍。”他越讲越激动，悲愤至极，索性嚎啕大哭起来。与会的股东、省城各法团和绅商学等各界代表二千多人，也随他的感情起伏而大恸，其声震撼屋瓦。

过了一会，罗纶控制住自己的感情，待会场安定一点以后，又以更洪亮的声音继续说道："父老昆仲们，下一步如何办呢？为了动员全川七千万人一心一德地拒债废约保路，我提议立即成立责有攸归的机关——保路同志会，今后还要在各州府县、各行各业、各机关法团、各学校以及旅居省外的川人中，成立保路同志协会，联络所有川人，一致拚斗。还要联络湘鄂粤诸省，共举争路请愿。这样，我们的力量才壮大，保路的目的也就可以达到。"

罗纶的提议，当即得到全体与会人士的热烈响应，齐声高呼："赞成！赞成！"接着又通过了同志会简章，并一致推举蒲殿俊为会长，罗纶为副会长。午后，全体与会人员又齐赴督署请愿，请王人文代奏清廷废止借款合同，撤回收路成命，开始了保路同志会成立后的第一个行动。

打枪坝事件与张铎

彭伯通

清同治二年(1863),法国天主教会谋夺重庆城中制高点崇因寺引起教案。五福宫是全城的制高点，其西侧的打枪坝也是外国人觊觎的对象。那里是清代绿营操练场所，武器尽为火枪,故名打枪坝。太平军兴,绿营缺乏战斗力,注重募勇练团,打枪坝经常闲置,偶有操演。

光绪二十七年(1901),重庆关税务司英国人花荪向川东道宝棻，重庆府护理张铎提出打枪坝永租给重庆关修建税务司公所。道、府不敢拒绝,拖延搁置。光绪二十九年(1903)花荪借口打枪坝进行操演影响各领事馆安静，再提永租打枪坝。这次川东道贺元彬、重庆府张铎立即上报,经四川总督锡良批准,11 月由重庆镇总兵章高元率领三营游击、都司与重庆关税务司订立《永租打枪坝条约》,每年租银二百两。

贺元彬、张铎上报惟恐批不准,说:“该处地势高平,如他人所得,转来未便,不如给税务司租而不卖,作公所非作私宅可比,亦不能他用,实与中国公地无异。”这种自欺欺人言词,其媚外保禄态度,跃然纸上。

这个丧权辱国的租约，为具有爱国传统的

重庆人民所不能容忍，经过强烈反对，终于由七团八省筹款赎回，可惜详情记载缺如。只知张铎因媚外官运亨通，由知府护理而知府，而川东道，不久患腹泻死，外国领事馆还下半旗致哀。另一方面，民间却恨之入骨，有张铎变牛的传说。

赵熙撰写刘湘墓志谈片

陈雁翚

1938年1月20日刘湘病逝武汉，在成都武侯祠西侧选地为刘修建墓园。墓志应请谁撰写，刘的僚佐亲属咸属意于赵熙，因请川康绥署副参谋长余中英去函先容。适刘光第少子鹤年患青光眼疾几近失明，获准请辞绥署秘书职务，以便还富顺家乡养治。但因旅资匮乏，苦难成行，乃以父遗黑纸折扇一柄托罗祥趾代售。罗持示余中英，并为道其原委。余见此扇系名家顾印愚用泥金书写以赠刘光第者，问索价几何，曰三十金。余认为此乃鹤年尊人遗物，后嗣义应善加珍藏，不忍乘人之危以得之，因却扇赠金如数。继念鹤年既将返乡，何妨即请其携函代致赵熙。余自审与赵交契深厚，赵于刘湘即有不慊，而请出自我，或亦不便峻谢。函去不久，赵果即撰就用九宫格纸书写径以寄余。后因文中于刘部诸将

未一一叙及，铭文末句复有“含血喷天，抗战到底”之语(俗有“我才冤啊！只有含血喷天”的说法)，遂致议论纷纭，终置未用。嗣另请方鹤斋(成都五老七贤之一)撰文，肖泽溥书碑。其于赵熙，则敬致润笔礼金两千元以示感谢。

所可异者，40年代末，个人在友人家中确见过赵熙所撰刘湘墓志原文有似碑刻的墨拓。令我记忆深刻的是，关于刘湘组织六路大军围攻川北红四方面军一事，赵熙于文中对共产主义作出人所不能亦所不敢的高度评价。他是这样写的：

共产者，学说甚高，其风烈烈！

虽仅寥寥十一字，而其时其人，能发此种议论，这就十分难能可贵了！

此一拓件所由何来？原来绥靖公署秘书处长刘东父(名书法家)纯化街家中，长年雇有刻字工人为刘氏家族刻制书版。刘东父觉得赵熙此文大可一读，弃之未免可惜，即用楷书照录以付枣梨，并拓印若干份分贻友好。前所见者，殆即此尔。

袁诗荛的《新三字经》

廖仲宣

袁诗荛(1897—1928),又名袁首群,四川盐亭人。1917 年就读于四川高等师范学校。"五四"运动发生以后,四川全省学生联合会成立,当选为副理事长, 创办省学联机关刊物《四川学生潮》,宣传新思想。1920 年底,同王右木开办《新四川旬报》,王氏任编辑,袁氏任经理。1925 年任盐亭县教育局长,致力教育改革。1927 年任中共川西特委宣传部长,次年被四川军阀杀害。

在大革命时期,为了宣传农民,组织农民,袁诗荛用白话编写了一部《新三字经》,并石印成书,在盐亭县城乡广为传诵。这部《新三字经》的内容是:

说农民,叹农民,说起来,真心疼。天下事,不公平,穷与富,两分明。早早起,去耕耘,晚摸黑,回家门。勤劳作,历苦辛,吃一年,无粮存。菜稀粥,薯麦羹,每顿饭,见人影。茅草房,漏星星,烂被盖,不御冷。破棉袄,烂襟襟,刷把裤,难遮身。寒冬夜,睡不成,穷家户,煨火困。常悲叹,怎生存?手不闲,劲满身,没奈何,缺地耕。财主家,福不轻,吃不完,穿不尽,坐家里,享现成,高租

佃，压穷人。官征粮，像催命，官吏恶，保甲狠，苛捐税，摊贫民，血汗钱，盘算尽。劣豪绅，更横行，高利贷，本利滚，剥削债，难还清。腊月底，逼出门，年三十，不安宁，穷苦人，泪满襟。军阀们，豺狼心，见男汉，抓壮丁，莫奈何，断手筋，逃兵役，留残身。妇女们，更底层，男读书，女不行。女儿经，虐煞人，旧礼教，太不平，想平等，意难成。这世道，太残忍，封建制，虎狼政。讲迷信，信鬼神，胡乱编，诓骗人，说贫富，是天命，祸与福，前世定。旧社会，是非混。到而今，要革新，要铲除，害人精。志士们，齐发奋，寻真理，争平等。我民众，快觉醒，打土豪，除劣绅，铲军阀，灭祸根。均田产，民共耕，救穷人，出火炕。驱黑暗，勇献身，为人类，布光明。

"斧头劈开新世界，镰刀割断旧乾坤"

邹治国

在中国革命历史博物馆里的第二次国内革命战争时期馆中，有一副气壮山河的标语对联："斧头劈开新世界，镰刀割断旧乾坤。"人们都知道它来自四川省达县梓桐乡，是红四方面军写的，然而，其作者是谁则鲜为人知。

1932年底，红四方面军从鄂、豫、皖西征，经陕南进入川东北。次年2月在巴中建立了川陕省苏维埃政府。

达县梓桐乡的农民知识分子何永瑞以教书为业，在当地颇有名望，而且思想进步。当闻红军往梓桐乡方向进发，他便组织农民在文武宫成立了乡苏维埃。8月22日红军先遣队来了，23日红卅军的正规部队到达梓桐。政治部设在地主杜光亭的庄园内，两杆红旗插在朝门外。为了庆祝胜利，何永瑞携其子女何芳泽等想拟写一副对联。他们抬头看见红旗上的镰刀斧头，便以镰刀斧头为内容。先想出了“镰刀割断旧乾坤”，“斧头”怎么“新世界”，是“坎出”、“砸出”、“伐出”，究竟用哪个词为妥，大家推敲未定。何永瑞含着烟斗，边吸边想，一会他说：“还是以‘劈开’为好。”一锤定音。于是他便挥笔在红纸上写下“斧头劈开新世界，镰刀割断旧乾坤”这副气势磅礴的对联。十月上旬，红军将它刻在石朝门的柱子上，横幅又刻上“红三十军政治部”，后来又在侧面两旁刻上“阶级斗争”、“平分土地”。1934年冬，红四方面军走后，杜光亭还乡，见到那副标语对联，恨之入骨。本想铲除又怕损毁了朝门，破坏了风水，只得用石灰涂平，使外面不见痕迹。

1958年，达县修建烈士陵园到梓桐乡征集

史料，有群众告知此事，那副多年隐藏的楹联又重见天日，并运往达县。次年中国革命历史博物馆派人到达县老区征集文物，发现此联后运往北京历史博物馆。

忆《新边区报》

陈嘉章

1939年4月，在潘文华的川陕鄂边区绥署所在地、川北文化古城阆中，出版了一个宣传团结抗日的石印报纸《新边区报》。这份报纸，虽然是以川陕鄂边区绥署机关报的名义出版，并由潘文华下令每月拨给银元二百元作为办报经费，但它的出刊，则是由于中共抗日民族统一战线影响和中共地下党员积极推动的结果。报纸的主编，从始到终由绥署机要室少校秘书、中共地下党员洪子端担任(1940年以前，该室的另一少校秘书肖逸父也曾参与编辑)。大巴山设防，阻止日军西进，是川陕鄂边区绥署的重要任务。《新边区报》从创刊之日起，就以贯彻执行这一任务为宗旨，大力进行唤起民众抗日救亡的鼓动，和抗日民族统一战线政策的宣传。它的创刊号，用了较大的篇幅刊登张澜3月1日在潘文华就任川陕鄂边区绥靖主任典礼上的讲话。张在讲话中强调：为着国家民族的独立，必须团结

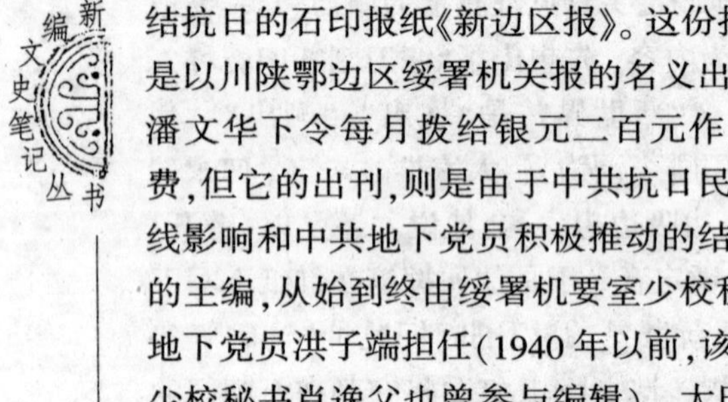

抗日，“巴山设防，先攘外，后安内，既攘外，则内自安”。接着，又转载了1937年10月25日《毛泽东与英国记者贝特兰的谈话》。值得注意的是转载这篇谈话的时间，是在国民党五届五中全会确定了“防共”、“限共”、“溶共”、“反共”的方针，通过了设立“防共委员会”，制定了《限制异党活动办法》之后，其意义就可想而知了。作为一个绥靖主任公署机关报的《新边区报》，在当时能开辟相当的版面，刊登中共中央发布的文告如《中国共产党对时局的宣言》、《八路军出师抗日的誓词》等等，以及中共领导人毛泽东、周恩来、朱德、洛甫(张闻天)、林祖涵(林伯渠)、罗迈(李维汉)、邓颖超、黄克诚和一些爱国将领、民主人士如冯玉祥、邹韬奋等的文章、讲话。还以诗歌、曲艺、漫画、杂文、通讯、问答等多种形式，进行抗日救亡的宣传鼓动，是难能可贵的。

三旅长委派高等检察厅检察长

廖铭吉

1925年3月，四川军阀为争夺防区，引起内战。当时川军九师师长刘文辉、三十师师长邓锡侯、二十一师师长田颂尧联合举兵攻打四川督理杨森。杨部于8月由成都败走，三师联合的先头部队三个旅入城。刘部旅长张清平(致和)、邓部旅长杨秀春(荣向)、田部旅长曾宪栋(南夫)当即会衔布告安民。时成都有个大地主叶大丰,家有田地二千余亩,并有公馆铺房甚多,早年曾到日本读过法律讲习班, 回国后在成都执行律师业务。叶与邓部旅长杨秀春素有交谊,以重金求杨活动,居然得到杨秀春、张清平、曾宪栋以三个旅长名义委派其为四川高等检察厅检察长。叶大丰奉到委状,立即约集大批属员走马上任,四处张贴布告,并通令全川各县,宣布就职视事。

叶大丰在 1922 年曾任成都市及成都、华阳两县田房验契处处长,因验契收税、罚款,深为刘文辉之兄刘文诚所不满。刘文辉升任二十四军军长兼四川省政府主席时,循刘文诚之嘱,清查叶任验契处处长时经收公款情况, 谓其亏挪巨款,予以扣押。叶卖掉大公馆一院及田地一千余亩赔清后始获释,其检察长职务随之丢掉。不久,即抑郁而死。

防区制时代的奇闻

刘学超

四川军阀实行防区制,由来已久,但因历年内战相互火并,防区领域时有消长。1925 年川黔联军击败杨森时,曾在自流井(今自贡市)召开善后(分赃)会议,将各军防区重新划定。从邓锡侯部来说,迄 1935 年蒋介石入川,刘湘统一四川之前,他所分得的防地虽有变化,而在川西方面的地盘,却一直保持到底。不过各军首领多能将其防区内一切权力集中在手, 而邓的防区内却又形成几个小防区(尽管邓乃一军之长,因部下将领多尾大不掉,既不能令,又不受命,邓的处境与战国时期的"周天子"实颇相似)。

1927 年春邓锡侯易帜为国民革命军后,被任命为第二十八军军长。但他的部属中却有两个总司令,一为四川边防军总司令李家钰,又一为全川江防军总司令黄隐。总司令受军长节制,征诸已往,实所罕见。另还辖三个师及十多个混成旅。自表面观之,实力可谓强大。这些将领们各有驻地,多至八县、少至一县不等,各皆视作是自己的独立王国, 一切行政财政用人大权全被把持,邓莫能问。邓常自我解嘲说,带兵方法,各有不同,他们(指各军军长)是掏钱来请人抬轿子,我是不须掏钱就有人(指下面将领)抬起轿子来请我坐轿子。

二刘大战前, 川中各军防区除刘文辉拥有七十多县防地名列首位外,次之应属邓锡侯。他占据的地盘亦达三十多县。其中:四川边防军总司令李家钰驻遂宁,占附近八县;全川江防军总司令黄隐驻灌县,占附近四县;第三师师长陈鼎勋驻合川,占附近五县(原为四县,后来刘湘又以璧山一县相让); 第十一师师长罗泽洲驻南充，占附近八县；第七师师长马毓智驻温江、崇庆两县；一混成旅旅长杨秀春，驻金堂一县；二混成旅旅长陈离驻广汉、新都两县。另外还有松潘、茂县、懋功、理县、汶川五县及抚边、崇化、绥靖三屯。邓在那里设有二十八军松、理、茂、懋、汶屯殖督办公署(公署驻茂县)，邓锡侯在其防区内能直接控制在手的防地，仅此而已。

"禁烟"趣闻二则

金慧海

其一

民国时期，四川各地鸦片烟毒泛滥。"通都大邑，烟馆林立，穷乡僻壤，罂花遍地。地方当局不特无严禁之决心，反以此作为牟利之行为，以致妨碍农业，流毒民间"。这是1931年4月中央某大员"视察川境"后发表的谈话。假"禁烟"之名以牟利，实为当时社会的真实写照，当时施行各种"禁烟"捐税罚款，如课"瘾君子"以"红灯捐"，对贩烟者征以"过境捐"，对烟农则征"烟苗税"，对拒种烟者则罚"懒捐"。于是，地方军阀筹集内战军费、各级官吏贪污中饱、豪绅奸商牟取暴利，莫不惟"鸦片"是赖。为了多收捐税，扩大财源，有些军阀竟在防区内堂而皇之地下令各县“劝民种烟”。具有讽刺意味的是，就在某大员发表“最短时间，完全禁绝”的谈话当年12月25日，川南叙永县政府奉二十四军军部的命令就向区乡下达了这样一通“劝民种烟”的命令：

> 查本县派下届烟苗罚金四万五千元，前经会议摊派各区遵照筹派在案。兹奉军长电开：本部经费支绌，军需繁钜，所有该县烟苗罚款，曾经核定数额饬遵在案。现查本年烟价腾贵，种植获利必丰，如果因势利导，自能踊跃趋赴。仰即宣谕团保转饬人民，广为播植，务将所派罚金数目摊筹足额，督饬各团保依期收解，用顾军需。该县长职责所关，考成所系，慎勿稍涉怠忽，致误要政。……切切此令。

“劝民种烟”，“获利必丰”，军长既可解“军费支绌”之困，县长也能升官发财，如此“要政”实在妙不可言。

其二

民国时期，四川省不仅偏僻县城“烟馆林立”，连对外通商口岸重庆市(旧时江北、巴县)亦如是。市区大街小巷皆设有烟馆，红灯闪烁，一榻横陈，吞云吐雾，“瘾君子”得其所哉！以是，国人切齿非议，还引起高鼻子洋人的注意。据闻1932年2月2日，竟有一个“不识趣”的德国女记者名爱烈尔的对二十一军军长刘湘进行采访，偏偏“询以禁烟良策”。刘军长只好假装“正神”，支吾以对。事后，刘军长也感到“江巴间烟馆林立，有碍观瞻”，实在不成体统。于是，命令管理烟馆的机关“川东禁烟查缉处”，“将各烟馆各税卡一律更名，如以往之咖啡店、卧龙居、南土烟馆等称谓，须一律取消”，“售烟店则改为公寓，如原有之海云售店，则改为海拔公寓”。赐烟馆以嘉名，既不碍“观瞻”，而“禁烟查缉处”也完成了“任务”，实在便当得很。至于国人痛恨鸦片毒害之“切齿非议”，那就管不得那么多了。

抗战期间四个美国空军人员的奇遇

吴剑洲

1942年8月中旬，西康省主席刘文辉接到蒋介石的电报说：有美国飞机一架，飞经西康上空，因机受伤不能返航原地，四个飞行员已在西康境内降落。在降落前，曾以无线电向美方报告降落地点、经纬度。据勘测，应在西康宁属地区。刘文辉接电后，立刻命令各县查找，并派专人星夜出动找寻，经过半月毫无踪影。刘文辉又专函富林地区袍哥首领羊仁安协助，在彝区探查。几天后，羊派出的人回报说，确有美国空军四人在甘洛黑马溪跳伞降落，被彝方头人留下，不肯放出。于是,羊乃到彝区找头人甲佐面谈。甲佐早知羊仁安是非凡人物,就把要求向羊面陈:彝人要五斗银元换一个人。羊仁安告诉他们:这是美国朋友,他们帮助中国打日本侵略者,是我国的朋友,绝对不能这样做。由我送你们火枪十支,子弹两箱。彝方知道不交出洋人,就要惹大祸,隔两天把洋人送交羊仁安了。临行前,头人还为朋友洗尘,杀猪宰羊,宴请羊仁安和美国飞行员。

刘文辉把四个飞行员接到雅安,由美国司令部送回国。不久美国总统罗斯福致羊仁安一封感谢信,并一叠印刷表格。翻译出来才知道,这叠表是请羊仁安保送中国青年到美国留学,所有旅费、衣服、食宿全由美方负责,结果中国派去了一名青年。

重庆"九二"火灾

李华飞

重庆是个火灾城,很多房屋用木条夹成板壁,每到夏秋,气候干燥,着火即燃,几乎天天报警。1949年9月2日火灾,乃有史以来最大的一次。那天,陕西街石梯下临河的余家巷,有家因宴客不慎起火。风助火势,火乘风威,霎时浓烟滚滚,烈火熊熊。从东水门起,横扫沿城墙边的

"吊脚楼"。不到几小时,金蛇窜至朝天门,来势凶猛,困户呼救,十分悲惨!

消防设备很差,几辆陈旧的手摇"水龙"无济于事。黄昏时分,火势自朝天门转向千厮门扩展,嘉陵码头民生公司囤船上的汽油桶被半岩倒下的房子击中引燃爆炸,江面汽油附着木船也燃起来,船主忙向对岸划动。江北县担心把火引过河,几十名自卫队持枪不准靠岸。船乃顺江而下,以致岸上水上一片火光映天。逃向朝天嘴沙坝避难的人们,亦被两面夹攻的灼热烘烤而死,哭声惊天动地!

朝北的火头燃拢千厮门,因码头空坝很宽受阻;朝西的火头因中国银行、川盐银行、美丰银行的庞然巨厦受阻。大火整整烧了一天一夜才逐渐熄弱。吾友刘汝嘉之妻贺平珍,收拾小箱贵重,携着一儿一女沿着磨儿石下河,寻了块木头"跳板",叫儿女坐上,自己骑起用双手划水往江北,木板却被水浮汽油烧燃,箱沉于河里,人全淹死。老刘余生,悲痛发疯,从此披头散发,奔走街头向天号叫:"平珍,贵儿,云儿,你们在哪里?"人间惨景,莫此为甚。

重庆黄金舞弊案点滴

李华飞

抗日战争进入第六年,军费浩大,财政赤字疯狂上升,通货膨胀,物价暴涨,大后方国民经济临近了崩溃的边缘。当局际此,急谋对策,于1944年冬向美国贷款五万万美元,决定运二万万美元的黄金回国,由中、中、交、农、中信、邮储四行两局出售,老百姓可以自由购卖。其目的旨在收缩通货,稳定物价,平息舆论,安定社会。然而,腐朽的官僚机构,以权谋私者乘隙钻空,发生了轰动一时的黄金舞弊大案。

按照官方牌价,付款即可取得黄金的名叫"现货"。后因美机运送未到,改而出售"期货",同时还办理法币折合黄金的"存款"。1945年3月28日,国民政府宣布每两黄金从二万元调为三万五千元。这项命令系当天午后五点一刻发出的,到达时已届下班,老百姓自然无由知道而去购买。但事后据各承办行局上报,当天下午成渝各处的黄金"存款"高达三万五千余两。两三小时之间竟超出一个月售出的数额,很明显是内部掌权者透露"加价",由有关银行、公司、字号及个人大肆抢购造成。案情揭露,各界哗然,财政部在群情愤激之下派员清查。

在清查中发现：有用私家银行本票存购的，有用一张支票化几个姓名存购的，有用汇款通知单存购的。多者一人达三千两，几百两几十两的户头不下数十百个。至于四行两局职工亦东拼西凑弄钱存购。四行两局更打破惯例，下班后对外铁门上锁，内部则灯火通明，从七点办公延至十一点，浑水摸鱼，可见一斑。

结果，中央银行业务局长郭景琨涉嫌撤职，财政部总务司司长王绍齐、中信局储蓄处科长戴仁文等依法惩办。抛出几只替罪羊之后，当局于1945年6月25日宣布黄金停售，勉强将这场舞弊案平息下去。从中，不难看出“四大家族”内部相互倾轧，宋子文与孔祥熙之间的明争暗斗。政府借口打击投机分子，宣布凡购买黄金的存户和期货的买主，都要捐献“四成”给国家，总计一般普通存户“捐献”约八十二万余两。至于那些有权有势的达官贵人，鬼知道他们捐献没有。正是神仙打仗，凡人遭殃！

成都镍币风潮

廖铭吉

1948年8月19日，国民政府发布《财政经济紧急处分令》，宣布发行金圆券。21日又发布命令，规定以前发行之镍币及合金币，不分铸造年限,自即日起一律作为辅币,全国通用。南京、上海各地报纸于22日即已披载。成都中央银行分行于21日接电之后,秘而不宣,以是否要区分版次为词,发电询问。延至25日中午,始通知成都市政府公告。在这期间,成都中央银行分行和有关系之银行钱庄、个别私人,就大量收购镍币。有些敏感商人和居民,亦争相抢购。因此,酿成巨大的镍币风潮。成都市场混乱,时而商店关门不做生意,时而竟日抛销,物价暴涨,不可收拾。侥幸者尽情挥霍,任兴狂欢;事前不知道消息贱价出售之人逼得疯狂,甚至自杀。

这样的大乱子,前所未见,各方震骇。当时的成都市参议会、四川省参议会、留蓉国大代表、立法委员、监察委员,以及社会团体、社会人士纷纷发表意见,并发电给中央,请求严肃处理,追查责任,对成都中央银行分行负责人给予惩处。刚于7月份成立的成都特种刑事法庭,碍于形势,亦不得不过问此事。

当时分行经理杨孝慈、副理谢子舆都大有政治背景。特刑庭主管官员和与其有密切联系的特务机构是知道这些渊源的,对杨、谢就不惊动,只把该行一个出纳逮捕关押。接着中央主计处长徐堪、中央银行业务局副局长刁培然前来成都查处镍币风潮。刁培然还到宁夏街监狱慰问被关押的替罪羊,以示安抚。最后特刑庭传讯一些金融机关人员,调查一阵之后,以出纳无犯罪嫌疑,予以开释。整个案件就不了了之。

《对时局进言》的发表

李华飞

正当德意法西斯面临崩溃、联合国会议即将在旧金山召开之际，由郭沫若起草，柳亚子、沈钧儒、马寅初、陶行知、巴金、老舍、顾颉刚、谢冰心、李可染、徐悲鸿、周谷城、甘祠森、胡风等三百十二人签名的《对时局进言》，于1945年2月22日在重庆《新华日报》发表了。它提出"立即召集全国各党派所推选之公正人士组织一个紧急会议，商讨应付目前时局战时政治纲领"，"把专制时代的一切陈根腐蒂打扫干净……"

蒋介石见报大发雷霆，派张道藩去劝徐悲鸿、陶行知、柳亚子等申明"进言"非本人亲签，遭到拒绝。又派黄少谷去警告郭沫若，要他登报撤回。几经争执，谈判破裂。三月下旬，罢免郭的主任、撤销"文化工作委员会"的命令下达了。郭沫若马上通知留重庆的"文委"工作人员，于1945年4月1日"吃散伙饭"。那天，渝州进步文化界人士闻风而至，济济一堂。我也随附骥尾，会见不少久别的文坛老友，互相倾述不尽之情。管家巷"文委"大门内天井坝摆起长桌，铺陈雪白宣纸，纸首写着"昙华林纪念"，下款郭沫若，并附题词四句：

始于今日　终于今日

憎眼法西　勿忘今日

题词是有来由的。1938年4月1日政治部第三厅在武昌昙华林成立，郭任厅长，如今又是4月1日被罢官撤职，七年巧合。“勿忘今日”含意就更值得回味了。签名很拥挤，冯乃超、阳翰笙、雪峰、马宗融、洪深、金山、史东山、凤子、刘仁、罗髫渔、任钧、王亚平等等，将白纸顿时签成团团锦绣的图案，甚至镶起了“花边”。十点左右，在会议厅郭沫若报告“文委”撤销经过。这时，他脸色铁青，眼射怒火：“文委被逼撤销了，可我们也自由了！”声震屋宇。郭沫若概略讲述七年来大家在文化战线对抗战作贡献，揭露蒋介石阴谋诡计，“他要搞法西斯专制政权，早就容不下我们了……”接着严声厉色问道：“在座有蒋介石派来的人没有？你带信给他，我郭某的头他砍不下来！”会议室惊寂片刻之后，猛地爆发出雷鸣般掌声。

郭沫若《十批判书》与《青铜时代》出版佚事

周晦若

抗战时期，郭沫若的《十批判书》与《青铜时代》两书在重庆出版前，他的群益出版社曾登报预约，并收部分定金。后因有关部门借故推托，加上通货膨胀，法币不断贬值，致使两书无法出版。有次我到郭沫若家，他谈及此事深感失信的不安。又说，他曾与《新民报》经理陈铭德商量，请陈帮助解决出书的困难，因陈提出今后要过问群益出版事务的苛刻条件而作罢。他问我能否设法解决出版费用和纸张问题。当时我在四川丝业公司磁器口工厂任厂长，对此事虽自感乏力，但觉得可以找朋友试探一下。我就找公司业务主任、好友谢思洁商量，因他与当时四川丝业公司总经理范崇实是内亲，范从民生公司调他来任业务主任的。谢思洁为人开明，倾向进步，我们过从亲密。我向他详谈了郭的情况，找他设法帮助解决郭的困难。他慨然应允，愿与郭面商。我告知郭后，即约期面商，谢爽然而无条件地愿意为群益出版社目前和今后的事业负责出力，并从大公报解决了纸张问题，使两书顺利出版。

抗战胜利后，四川丝业公司在上海筹设办事处，谢任主任，亦同时为群益出版社解决了社址，包括郭老一家的迁居。郭老的几十箱原稿，亦随公司货顺带上海。后郭老去香港避难，谢借办事处扩大宿舍，顶赁了群益出版社社址，解决了郭老几十箱原稿的存放。建国后，群益出版社与鲁迅出版社等合并组成人民文学出版社时，谢思洁参加筹备小组，以后担任编辑。

宜宾美展奇闻

丰中铁

约在1945年上半年，抗战大后方四川宜宾《川南时报》刊登了一则醒目的广告：《宜宾各界敬谢画展启事》。其文不长，只是说明现在生活艰难没有财力买画，但画展接踵而来，都有巨头或亲友介绍关说，实在难于应付。经各界商议决定登报谢绝，以后一律不接待。记得其中有数句“抗战军兴……百业萧条，民生凋敝，画展频仍……穷于应付”云云。

万县桐油业的兴起

刘恺

桐油是我国的主要土特产，历史悠久，四川居全国之首，万县地区又为全川之冠。元代万州（今万县）安抚使王师能曾有“山半桐花点客衣”的诗句，对万县桐油树作了生动形象的描绘。那时万县桐油只是供点灯、漆刷木船、木器等用，总的需求量不大。咸丰同治时期，虽有万县商人将桐油运销沙市、武汉一带，但并无专营桐油业的商店，只是斋铺(糖果、副食、酱油店)、香蜡铺(香烛迷信用品店)的附属业务。到了1876年，万县城内南门正街的斋铺“兴发寿”店主陈梅生，屡次参加科举考试落第，便弃学经商，与亲友合伙经营斋铺，开始经营桐油运销业务。他选派王老国为汉口庄客。王探悉汉口桐油生意大有可为，即建议总号以经营桐油运销为主，业务十分顺手，兴发寿成了当时万县商界的一块金字招牌。由于运销业务发展了，逐渐感到资金不足。恰巧两江总督李宗曦(原籍开县)告老还乡，朝廷赏赐他养老金四十万两银子，途经汉口，特派人打听到万县兴发寿是个殷实商号，信誉很好，庄客王老国亦为人忠实，遂登门拜访。当说明来意，请将银子兑回，不要利息，三年陆续提取。王老国听后大吃一惊，心想两江总督的银子岂敢随便承兑，万一有失，性命攸关。来人又说：你们东家陈梅生与大人是故交。托他帮忙，一定会答应。王老国考虑再三，决定“借风过河”，把银子陆续买成上等货运回万县。陈梅生获悉后，惊喜若狂。从此兴发寿商号的生意扶摇直上，垄断了万县桐油贸易三十多年。

卢作孚重视蚕丝业

周晦若

四川蚕丝事业历史悠久。在近代，有1902年合川县的张森楷创办蚕桑公社，1905年三台县的陈宛溪办的裨农丝厂用木机制丝，到1913年开始改木机为意大利式的铁机制丝，成都、南充、乐山一带的丝织业才渐趋兴旺。

1935年卢作孚出任四川省实业厅长后，为推动四川蚕丝事业的改进事宜，于1936年聘请尹良莹等多位专业人员入川，参与规划，推进工作。一面成立四川省蚕业推广委员会和蚕丝改良场，重点地区设蚕业推广区、蚕种制造场，乡镇设蚕桑指导所，开展推广改良蚕种和蚕桑技术指导工作。为了提高蚕种和蚕茧的产品质量，推广改良蚕种，从江浙购进蚕种，无偿发给蚕农饲养，另一方面为了改进丝绸厂商的生产和经营管理，与四川生丝贸易公司和各地厂商代表协商，以厂房设备估价作为私股投资，对银行债务和所需经营资金，由省公股投资，改组成立公私合营的四川丝业公司。公司具有桑蚕种、茧丝绸、产供销一条龙的特点，成为当时全国蚕丝事业惟一的农工商贸一体化企业。

迎接贺龙入成都

何翔迥

1949年12月9日，刘文辉、邓锡侯、潘文华率部在彭县通电起义，宣布脱离蒋介石集团，投入革命阵营。朱德总司令很快复电表示嘉奖和慰勉，并指示刘、邓、潘起义后的一切事宜与刘伯承、邓小平、贺龙三将军联系办理。彭县起义的将领们接到复电后，莫不欢欣鼓舞，迎接解放军进入成都。

12月28日下午，我和李铁夫、杨尚仑等人正在市银行三楼商议事情， 牛范九匆匆进来对我们说，他刚才接到邓锡侯电话指示：1.解放军贺龙司令员已率部到达新都；2.经与刘、潘商定派李铁夫代表刘，何翔迥代表邓，杨尚仑代表潘于明日去新都迎接贺龙。

第二天，我们三人坐车驰向新都。解放军的司令部设在桂湖公园。我们到新都后，由一位解放军战士带到桂湖公园图书室。我们刚刚坐定，王维舟副司令员和张经武参谋长就进来了。当时，我们真有些紧张。他们微笑着走上前来同我们一一握手。我们三人作了自我介绍并说明来意。王副司令员爽朗地说："欢迎，欢迎，你们辛苦了！贺老总这阵有事，等会就来。"说完，他叫人给我们每人泡了杯茶。他平易近人的态度使我们紧张的心情一下子放松了。我们按照出发前的分工，向两位首长分别汇报了彭县起义的经过和成都地区的情况，表达了刘、邓、潘盼望解放军到来的迫切心情，欢迎解放军早日进入成都。我们汇报了大约一小时。王维舟听完汇报后说："彭县起义不仅瓦解了蒋介石集团的力量，而且使四川人民免遭战火灾难，使成都免受战火毁坏。刘、邓、潘三位将军做了件大好事，人民是不会忘记他们的。"我们听他这样高度赞扬彭县起义，心里感到十分激动。当即请示解放军入城的具体时间。王副司令说："你们等一下，我去请贺老总来。"他去了一会儿，就同一位穿着普通解放军战士军服、身材高大、气宇轩昂、神态英武、上唇有点胡须的人一道进来。张经武参谋长介绍，这就是贺司令员，并把我们一一介绍给贺龙将军。贺龙将军同我们亲切握手。他说："欢迎你们的到来。刚才有事，让你们久等了。"我们万万没想到赫赫有名的贺龙将军，不仅穿着俭朴，而且待人和善。他接着说，他已经从王副司令员那里知道了我们的来意，对我们此行表示慰问。最后他说，解放军决定12月30日举行入城式，并请我们转达他对刘、邓、潘三将军的问候和敬意。

清季科场琐闻

百　川

咸丰末，何绍基任四川提学使。何擅长书法，于篆、隶、行、草无不工。在学使任内阅试卷时，所加批条，字体圆润妩媚，精妙绝伦，往往为人窃去。何乃更改常例，无论试卷之优劣去取，悉以一字赅括批之。因其中仅书一字，更受人珍爱，失窃如故，何只好任之。

同治末，张之洞来川任学政。某年按临川南，见泸州童生有名“万人敌”者，观其试卷才气横逸，乃以优等录取。试毕，张乃召见万生，戒之曰：“汝才诚堪敌万人，然以此命名，毋乃涉夸。”

乃易其名为“慎”。万慎，字斐成，卒为川南名士。

光绪二十九年癸卯四川恩科乡试，史论题为《苏武留匈奴常持汉节论》。叙永厅秀才李维汉素习汉史，文笔清新，其试卷尤立论新颖，不落俗臼。对苏武娶匈奴妇生子一事，李维汉在试卷中刻意加以辩解。文中有“胡妇生儿为他日抱子收骨计，亦为持节报国计也”之句。此卷大为主考官王荣商、张心田所赏识，李维汉因得中举。余幼时曾见《四川乡试朱卷》中载有此文。而今年逾花甲，全文已不复记忆，惟此数句常存于心。

废科举，兴学堂

孙仁良

新宁县为今开江县古称。教育早源于旧制，设有县学、书院、义学、社学和私塾。晚清教育变革之始，于光绪二十八年(1902)，县城矗峰书院改为官立高等小学堂，出现了县内第一所新学。次年，设教育行政机构学务局。光绪三十年(1904)，普安、严家、广福、八庙场和甘棠、任市铺等地相继开设了蒙养学堂。光绪三十二年(1906)，改县学务局为劝学所，设私塾改良会，登记考核塾师。同时又撤销乡义学，将蒙养学堂改为初级小学堂，增设高级小学堂，初小学制五

年，高小四年。是年，知县王典章又创办了医学堂、农学堂，设蚕桑科。宣统元年(1909)，县城又开办了女子小学堂和师范讲习所，培训新学师资。

新学一律以“忠君、尊孔、尚公、尚武、尚实”为办学宗旨，聘请廪、贡生员任教。课程设修身、读经、国文、算学、历史、地理、格致(理科)、图画、体操等。八股文被白话文取代。

至今在开江县任市区仍存清光绪三十二年(1906年)兴办蒙养学堂《序碑》，曰：“国家之元气在乎人格，人格之完全在乎教育。不育则教无所施，不教则育有何益。父母育之尤必父母教之，而后能造就人格，以安定我国家。不有以教，则人格不全。野蛮致诮，於是乎宣讲兴焉。宣讲为当今要务科学，白话文随处演说，开通风气，自臻极点。教育宏人格，完国家之元气。人人自学堂来养成国民资格，造就个人特性……”

成都通俗教育馆

陈雁翚

1924年春，杨森击败熊克武进驻成都，被北洋政府任命为“督理四川军务善后事宜”。不久，就在少城公园(今人民公园)内，开办了成都通俗教育馆。

这个馆系原四川商品陈列所扩建而成，今人民公园游泳池东、西、北附近地区皆属之。它隶属成都市政公所（王缵绪兼任市政督办），首任馆长是卢作孚。嗣因与王缵绪相处不洽，未几即去。该馆设有博物、图书、讲演、音乐、体育、事务等六个部。部设主任，由周晓和、穆耀枢、王德熙、闵德新、向志均、郭谷初等人分别担任。博物部内容丰富，规模较大，有地方产品馆十多个以及卫生馆、金石馆、武器馆、动物园等部门。农产品、手工产品、矿产品及各地土特产，皆归入地方产品馆；武器馆陈列出古代刀矛剑戟及近代枪炮，还有一门六轮大炮；卫生馆陈列有人体骨架、内脏及人体解剖图表、婴儿模型，于一般卫生知识亦多有介绍；动物园有虎、豹、熊、狼及少数珍禽足供观赏。图书部系新建，为一楼一底穿逗木房，在今人民公园假山北面脚下。供人阅读的全是新文化书刊，线装书概不收藏。与之邻近的四川省图书馆（今人民公园管理处即其馆址），所储则尽属古典书籍。图书部读者甚多，星期日尤应接不暇。另还设有儿童图书室，今公园接待室即其旧址，原貌仍保存无恙。讲演部、音乐部共同使用一个小型礼堂，约可容三百人，常进行不定期活动。如邀请名人讲演，钢琴、提琴名家表演，举办讲演会、音乐会。成都戏剧协社曾多次在此演出《茶花女》、《梅萝香》、《少奶奶的扇子》、《夜未央》等中外名剧。体育部设在辛亥保路纪念碑西侧，当时已将公园大片空地辟

为公共体育场，交体育部管理使用，随时进行足球、篮球、网球比赛或练习，还办过小型运动会。每周放映电影一次。

入馆参观须购门票，每张铜元二十文。全馆员工约百人，主任之下有管理、助理、服务员、服务生、工人，另置馆警担任门卫。馆警来自招募，以警长统之，约二十人。服务生先后向社会招考，数达三四十人，一切具体工作悉令承担。而待遇极低，除供给伙食外，月仅给工资三五元不等。

继卢作孚之后，任馆长者有林君墨及叶健吾，率皆肖规曹随，尚可守成。大革命期中，该馆职工因争取待遇未获成功，众遂星散，馆务亦渐趋废弛。

何鲁治校

冯达甫

1936年，何鲁在重庆创办载英中学，自任校长。1940年为避日机之扰，迁载英中学高中三个班去广安，并就地新招高、初中几个班，遂设立载英中学广安分校，由教务主任黄言钊代行分校校长事。

开学不久，有学生几人违犯校规，被学校除名。适何鲁回广安，被除名学生得此消息后，相约去向何校长求情。途遇何鲁坐着凉轿进城，遂拦轿申诉。何鲁随手撕下报纸一角写上被除学生之名字，加上意见，叫他们拿回学校去读书就是。事后，黄言钊向何鲁诉苦道："你不回来还好些，以后叫我如何维护校纪？"何说："开除学生，就是断送他们学习的生命，让他们流落起怎行！你没有把他们教好，说明你没有能力，只有开除一法。这也怪我没有把你们教好。"

1943年下学期，广安分校代行校长职务的周学庸离校他就，校董事会改聘蔡人熙为校长。何鲁怕因更换校长影响学校，便回县住校两月多，对各科的教师特别是高中的教师提出了较高的要求。他要求各科教师互相听课交流经验，他自己也曾在一个班亲上数学课示范。

他对学生的要求非常严格。一次他对学生讲话，着重阐述了校训"勤、忠、恕"。他说：在学习上只要求做到一个"勤"字。一"勤"天下就无难事，它是学问、事业一切成就的能源。而立身处世，则应以"忠、恕"为指向。这些是孔子在两千多年前传给弟子的"一贯之道"。"尽己之谓忠，推己之谓恕"。何鲁笃信此德目，还写了"原德"一文，印发给全校学生，切切勉其砥节砺行。

后因政府不容私立中学设分校，学校报请省教厅立案，乃将载英中学广安分校更名为"储英"中学。

第一个川剧女演员——何亚仙

吴远度

辛亥革命前，川剧旦角均由男性扮演。辛亥革命以后，开始出现女性饰演川剧旦角。第一个川剧艺坛上的女性演员是何亚仙。

何亚仙(1890—1950)，原姓本，祖籍河南。其父以经商为业，清末入川定居。亚仙少时，好读诗书，闲时，常以歌舞自娱。她是一个爱看“堂会”戏的“小戏迷”。在戏曲艺术的熏陶下，开始偷读剧本，强记戏词，描摹表演。她先是以“票友”的身份出现在舞台上，后来向川剧名旦郑五拜师，正式搭班献艺，辗转在川西各县演出。20年代，亚仙到贵州、重庆及川东一带“跑滩”。在渝时，向川剧表演艺术家傅三乾参师，获得不少真传，艺术声誉日隆。

她擅长川剧胡琴戏，主工青衣旦，并能反串生角。她的嗓音清润，感情丰富，表演传神，刻画人物细致入微。其拿手戏有：《抚琴会客》、《别窑》、《芦林捡柴》、《三娘教子》、《生子上路》、《药茶计》、《绛霄楼》、《秦香莲》等。

何亚仙在川剧舞台上的出现，给川剧艺坛开创了新风。在她的带动下，一批女演员相继涌现在川剧舞台上。在继起者中，当时声名较著的有：包四、王学君、李惠仙、胡漱芳、筱惠芳、筱惠芬、罗素芳、罗素春、小鹤卿、小鹤灵、周金钟、李小钟等。

亚仙在宜宾不幸病逝后，她的生前好友、著名川剧表演艺术家周裕祥赋诗志悼：

奇花一枝出戏台，傲霜迎冰独自开。
虽是红落星殒矣，却引群花竞艳来！
料峭梨园折精神，熬霜披雪苦零丁。
香消玉瘗花魂在，犹引群葩竞望春。

漫话"堂派"扬琴

肖前林

1925年，成都"五老七贤"之一的尹仲锡经办慈惠堂，招了一些盲童学唱扬琴。而张大章、洪凤慈乃第一班的优秀生，又是三班以后的老师，他们可谓"堂派"的杰出代表。三四十年代，"堂派"一直在较偏僻、简陋的安澜茶楼设馆演唱，竟使其座无虚席。

当时最权威的中学教师王伯宜，除在学校上课外，还多处受聘，上门辅导，弄得他精疲力竭。然这时他总要到安澜茶楼听扬琴，放松精神。"堂派"确有批这样的常客，他们迷恋着声情并茂的唱腔，甚至低声随和，在听到行腔激越处，竟情不自禁地连连点头赞叹。

“堂派”的特点，字正腔圆，堂音宏量，极富共鸣，而且刻画人物细腻，以男角戏见长。张大章唱《渠江打子》中的郑北海，当他先以家史教训其子，唱道“……宦门子为歌郎不顾脸面”时，演员进入角色后一下激动得把舒缓的“一字”唱腔换成节奏急速的“二流”：“粪土墙不可污生成下贱，枉自汝对青灯面壁九年。回头来叫忠禄看过竹板，（插白）我今朝定——”由于悲、痛、恨交织，郑北海反而定不下来了。哽阻片刻，从定字起突然把唱腔改成极慢的“一字”苦平（即转调），“定——打死（啊）——不孝逆男！”多么鲜明的内心矛盾呀！毕竟郑元和是自己亲生骨肉，“虎毒不食儿”。这样起伏跌宕，都全凭声腔音乐表达感情，演员掌握技巧，从而紧紧扣动观众的心弦。

洪凤慈专唱小生和老旦，行腔犯苦的工夫与张大章各有千秋，刻画人物内心亦极细致。他唱《五丈原》孔明病危临死的“二流”：“……司马懿畏蜀如虎实惶恐，上方谷一败不敢交锋”唱得来有气无力，“锋”字几乎只有半折。我曾问洪，他说：“当时孔明已上气不接下气，哪还能拖一板呢？……”

张大章、洪凤慈虽属盲人，却刻苦钻研，每折戏的一腔一板，都凝聚着心血，故能感染听众。同时，破除陈规，创造自己的风格，被人们呼之“堂派”（即慈惠堂一派），在四川扬琴艺坛载誉数十年，为吾蜀曲艺史写下了可贵的一页。

成都的啸隐曲社

罗荣汉

抗战期间，四川省会成都，有一批大学教授、社会名流、名媛闺秀喜好昆曲，自发组成“啸隐曲社”，每月聚会一次，弄笛清唱。聚会一般由社友轮流坐庄，主持操办，或在寓舍，或在草堂、望江楼、武侯祠等名胜园林。曲社设有专用的签到登记簿，除记录每次参与者的姓名外，还记下每次聚会各人选唱了什么曲子。至于伴奏，则是相互承担。笛是必不可缺的，其他如鼓板、二胡、三弦、碰铃也常齐备，有时还有月琴、琵琶、箫管，以至提琴伴奏，总是尽欢而散。

李调白、李辉父子是曲社的骨干，其他如龚圣与、陈虎岩、陈富年、陈瑾琼、王颂椒、罗汝仪、萧开松、李梦雄、石蕴如夫妇、叶麐、吴麐则虞、李孝桐、李晓舫夫妇、罗文谟、许子睿夫妇、杨汇川、顾味真等都是积极分子。

此外，当时在成都颇有名气的企业家范崇实、何静辕也酷爱昆曲，但未入曲社，另立门户，自为乐事。

在相当长一段时间里，“啸隐曲社”的雅集均以清唱为主。后来经人介绍，曲友中不少人都先后延聘姚传香、倪传兴到家传授身段，逐步下海票串演出。

1947年秋，应范崇实之邀，昆曲泰斗俞振飞和夫人黄蔓耘双双莅蓉，在“啸隐曲社”的配合下首次在成都正式面向社会公演昆剧。虽然当时的成都市民对昆剧还比较陌生，但因俞振飞的名声影响，仍场场爆满。俞氏夫妇主要演出的剧目是《贩马记》和《太白醉写》；蓉城票友参演的主要有：何静辕的《凤仪亭》，陈虎岩的《小山》，陈瑾琼的《思凡》，罗汝仪、杨汇川的《小宴》，陈富年的《醉打山门》，王颂椒、姚传香的《游园·惊梦》等。

为纪念这一盛会，罗文谟还赋诗一首赠俞氏夫妇：

> 鸾凤锵锵曲听真，昆山良辅是前因。曾拼太白颠狂态，几见飞琼现在身。接翅双飞来锦水，和鸣歌断遏梁尘。吴丝奏彻人空巷，唐突花卿漫学颦。

俞振飞在蓉演出后，昆剧在成都的影响也有所扩大，不少川剧新秀(如紫莲、祝宛秋等)纷纷向姚传香等求教，也和“啸隐曲社”的曲友交流戏艺。而华西大学的外籍人士，也开始对昆曲发生了兴趣，曾多次在曲社聚会时，到现场录音。

1950年以来，在成都市文化局的支持下，“啸隐曲社”的同仁仍经常聚会，直到1957年夏季之后，曲社才逐渐星散。

日俘在重庆演出反战戏剧

石八子

1938年10月,重庆南岸土桥附近的俘虏收容所命名“博爱村”,由作家沈起予(早年留学东京)任管理。经过一段时间的启发教育,次年春,与日本作家鹿地亘、池田幸子配合,第三厅郭沫若、冯乃超到村指导。俘虏们逐渐对日军国主义的侵略有所认识,在鹿地亘的直接领导下,成立了“在华日本人民反战同盟”。

1939年,一个细雨纷纷的薄暮时分,戏剧导演家应云卫由城内突然来到“博爱村”向沈起予说:政治部妇女工作队为前线将士募寒衣,演戏筹款,听说俘虏所的反战者曾编演过《新亚之光》,效果很好,准备正式搬上舞台。于是找三船商量,他高兴地满口答应,演出地点在重庆国泰电影院。海报贴出,争相购票,台下黑压压座无虚席,欢声掌声交织。沈起予向三船说:“观众中有不少高级官员和将领,你代表大家讲几句话吧!”三船整了整容,正步出台:

“中国政府的领导者及中国亲爱的民众!今晚我们的反战还只表演在舞台上,但将来,我们一定要到战场上实现。希望那时大家多多给我们指导,给我们督促……”

简短的日语译成中国话，赢来雷鸣掌声，妇女工作队献了鲜花。演出很成功。此后，中国电影制片厂导演何非光(朝鲜人)根据俘虏口述又编个电影脚本《东亚之光》，要求"博爱村"反战盟员参加拍摄，由三船、高桥、植木担任主角。

事情凑巧。他们乘卡车进城，正碰上陪都的"献金日"。在这特殊的节日里，反战盟员无所顾忌地穿着"皇军"制服，举起大旗，下车去参加盛大的游行行列，并毫不吝啬地从各自每月三十元津贴中节约一笔钱，吹着礼号，亲自送到献金台前。这一消息轰动了全城。广播电台立即组织他们座谈，通过空中电波向日本人民作正义的呼吁，要求日本政府停止侵华。然后，他们整队上车，到中电拍摄《东亚之光》影片。

谈诗述闻

赖高翔

一次，在吴君毅处谈到杜甫《咏怀古迹》“支离东北风尘际”一首，吴先生最赞赏“三峡楼台淹日月，五溪衣服共云山”二句。后来见到徐仕钧，徐曾就学于赵尧生。他说赵先生也讲过这首诗，所取的却是后一联“羯胡事主终无奈，词客哀时且未还”，嘱把“且未还”三字密圈。同一首诗鉴赏上有两种不同的侧重。我以为这代表了清末蜀中诗人两派的传承和主张。吴先生代表尊经派，崇尚王壬秋八代三唐的风格。赵先生代表同光派，崇尚宋诗，以摇曳流宕为主，注意虚字便转。

向仙乔论诗最注重"秀"。他说:"赵尧生先生有信给我,说'作诗须字字妍秀'。"所以向先生的诗和字都十分秀。郑异材就承继了这一点,确实是向先生的嫡传弟子。向先生论诗也最重音节,他常引姚姬传的话"诗文须从声音证入",并举欧阳修《丰乐亭记》"百年之间漠然陡见山高而水清"一段,说"这是古文中音节最好的一篇"。其实《丰乐亭记》意思也很好,近来选文的人大都选《醉翁亭记》,而未选这篇。对于这种选文的标准,实在不大理解。

吴又陵、林山腴都不甚推崇李、杜,大概名家的作品,总不免泥沙并下,不尽可学。像李白的"我也为君槌碎黄鹤楼,君亦为吾倒却鹦鹉洲",两先生都认为是恶道。吴先生却称道李白的"清风朗月不用一钱买,玉山自倒非人推",认为是神来之笔。对于尊经前辈,林先生最推崇宋芸子的七律,吴先生最推崇吴伯朅的七古,尤其是吴伯朅的《桂湖》一篇,开篇两句"江山启神才人秀,才人无福江山寿",已能概括一切。篇中的"功名翻为气节苦,精神仅借文章补,春水盈塘魂未归,秋香满地花无主"四句更是吟诵不置。吴先生的诗是学晚唐的,对于晚唐人的绝句,在讲文学史时引证很多,均风华掩映之作,所以他作的绝句为当时人称道。清末民初的作者受龚定盦影响很深。吴先生也是其一,《辛亥杂诗》正是从龚定盦《己亥杂诗》来。

折柳桥吊古

陈雁翚

唐代诗人雍陶，字国钧，成都人，唐大和元年(827)进士，大中元年(847)出任简州(今简阳县)刺史。州北约三华里处，原有一桥曰情尽桥，官绅送别客人多到此为止。雍陶莅任后，认为以情尽二字名桥，未免有背人情，因把桥名改为折柳，并题诗如下：

世间只有情难尽，何事名为情尽桥！
自此改名为折柳，任他离恨一条条。

这段佳话流传不绝，历代文人墨客过此，流连之余，多有题咏。清乾隆进士张船山(名问陶，四川遂宁人)《简州晓发》诗句云：

阅世渐深诗律谨，立椎无地别情难。
雍陶旧句重拈得，折柳桥南驻马看。

其后知州胡德琳在道旁广植杨柳，两行垂绿，直至折柳桥前，一路风景如画。这位州官曾赋七绝一首云：

夹道垂杨千万枝，春风长养碧参差；
桥边系马情难尽，折柳谁怜种柳时。

及至民国初年，因时局多故，此一名桥即告荒凉冷落，似已令人不堪一顾了！试读陈端林(字古枝，四川内江人，工诗文。曾任熊克武督军秘书长，后与熊同被蒋介石囚禁于广州虎门)所写的《过简阳道中》诗，便知此时桥畔已经无柳可折。陈的诗见下：

桥名折柳柳何如，来趁春风燕子雏；
送尽行人唯此树，只今桥畔一条无！

到了20年代后期，成简公路修成。折柳桥居于公路东侧，地势低下，古道未废，而行旅为图便当，大多行走公路，桥上几无过客，知者益见稀少。

折柳桥代远年湮，或将不免与时俱没矣。有人误指简阳北门城边绛溪上的一座有顶盖的大桥为折柳桥，实是张冠李戴。这座大桥始建于明成化二年(1465)，初名济川桥，清乾隆年间改称瑞华桥，自嘉庆二年(1797)再更名为万安桥后，迄至1949年未再变易名称。恐滋讹传，故并为赘及。

穆坪外郎砚

姚昌龄

四川宝兴县旧称穆坪，其民治乡外郎村特产之外郎石砚久负盛名。清道光间，有穆坪方姓石匠，耗时三年，用外郎石琢磨成“九龙吐水”石砚一具。穆坪土司丹紫江楚重金收买此砚进贡，受到皇上称赞，从此该砚闻名遐迩。日前在县美术工艺厂看到用传统工艺推出的新品——二龙戏珠砚、嫦娥奔月砚、飞仙砚等，蔚为文房奇观，美不胜收。

清咸丰八年(1858)，天全州牧陈松岭著《穆坪砚石记》一文，对其品质、特性述评详当："砚之用发墨、不损毫，二者尽知矣。不损毫，常砚皆能之，惟发墨之妙，穆坪砚石独具。若以他砚并之，水之份数同、墨同、手同，竟日用之，他砚则棱角软腐张，惟穆坪之砚可免此病。"此砚为何具有如是优点？其文谓"穆坪之石，石理未剥，精华未裂，故研墨不拒，储墨不腐，砚槽之水，隆冬极寒，他砚常冰而此独否"。

所谓"石理未剥，精华未裂"，盖指外郎石质优、藏善、未遭风雨剥蚀、其砚之优可与广东端砚、安徽歙砚媲美，——研墨不拒、发墨不灰、储墨不腐、保墨不冰、优质不损毫。北京荣宝斋专家对外郎砚曾有鉴定曰："贡砚， 石质坚硬、细腻，击之有金属声，用之颇发墨，似有歙砚之优，制砚之好石也！"

宝兴为"蜀白玉"大理石产地。近年随石材开发之勃兴，外郎砚亦呈现异彩。已探明其储量甚丰，且品种繁多，除灰黑者外，尚有碧绿、蔗红等色，绚丽多彩。

绵竹年画与酒

秦彤

绵竹年画产于名酒之乡，在内容、题材上自然与酒结下不解之缘，郁馥的酒文化格调构成绵竹年画的独有特色。

传统的年画，以“福、禄、寿、喜”作为题材。绵竹年画与其他年画不同的是，以“酒”为内容深沉地融合到题材之中。有一幅《百寿醉酒图》堪称这方面的代表作。图上的几十位百岁寿星共集一图，神情各异，姿态纷呈，皆畅饮美酒，痛快淋漓，展现出作者构图不凡，而寿星酣饮之态可掬，啸傲之气，直扑画外，可见想象的丰富，体现出文人画的气息。这幅画从风格上突破了传统年画的程式，把文人的、地域的、世俗的风貌有机地融为一体，把传统年画的文化格调提高了一个层次。

绵竹酒业在清代极为兴盛，年画亦形成自己的风格，被誉为绵竹的《清明上河图》的年画《迎春图》创作于清末，以长卷的形式描绘了清代绵竹的世情风貌。作者黄瑞鹄(一名瑞阁，字宗贵)，重现实而少宗教色彩，形成了鲜明的个人风格，在年画创作中是极为罕见的。尤其是他的一幅《竹林七贤图》，浸透着浓郁的酒乡色彩，并体现出作者的张扬个性。传说该图为黄画师酒醉后所作，画出竹林七贤酒醉后的狂傲之态，或烹茶，或对弈，或纵歌，或弄管，大有“白日放歌须纵酒”的文人意蕴。画成后，有观者指出，画上弄管的阮咸竟倒置乐器吹奏，此为一大败笔。画师却大笑曰：“若非颠倒笙管，焉知酒后之狂！”更妙的是，七贤饮酒的背景竟是绵竹名刹祥符寺。空间的变易，不仅仅在于突出年画的地域性，更重要的是标识出醉倒七贤的酒是绵竹佳酿。

地域性和文人画的风貌，在绵竹年画的传统题材中也有体现，《老鼠嫁女图》是这方面的代表作。原画以酒立意，整个画面突出的是两只壮硕的老鼠抬着一只大酒坛，二鼠面露喜色，步履蹒跚，举止憨拙，恍然有醉意，只有酒坛上贴的一方“喜”字，使人明白二位抬的是嫁女的喜酒，嫁女场面却不着一笔。此图构思之巧妙，不亚于“深山藏古刹”的文人画命题的意蕴，画面世俗之极，立意却富于内涵。现今的《老鼠嫁女图》原风貌全失，画面上勾勒出嫁女场面，更平添了一只猫来捣乱，以此说明鼠是坏种，决不许谬种传播繁衍，传统的底蕴荡然无存。

绵竹产美酒，产年画，称为“双绝”。双绝相互渗透，使酒名有画意——“剑南春”画意盎然，画中闻酒香——“百寿图”佳酿袭人。

张大千的仕女图

屈义林

北平沦陷，张大千脱险回到四川，先后在成都举办过三次内容丰富、作风递变的大画展。一次是在暑袜中街省银行里，山水画较多，一幅丈余高的《岩松图》，特别突出。另一次画展是在春熙西段撷英餐厅里，仍然各类画种都有，其中有四张约八尺高的屏条，画的重彩工笔仕女，分别题为《游春》、《采莲》、《读画》、《赏灯》，引起观众极大兴趣，围观者甚众。《采莲》一幅，或以莲叶捧面，或在莲丛藏身，憨真逗趣，仪态万千。以前所见大千仕女画都以中小幅为多。在如此巨幅屏条上作工笔重彩，精妙变化，引人入胜，这不仅是大千的仕女画新高峰，也是中国画坛的创举。第三次画展是在骆公祠街严谷声公馆里。这次的画，全是敦煌面壁三年后的新作，作风又一大变，誉为中国文艺复兴之嚆矢。例如《飞天》、《尊舞》诸作，可看出体态、衣纹、手足、面目，都是从写真的生活体验中提炼出来的。一改以前的传统画法，攀上又一个新高峰。

一天，盛学明说，大千先生，曾经在成都半边桥屈原艺社裱画店，看见过我画的仕女，并问及我的情况。我想，我应该及时向他请教。于是，我和盛学明去拜见大千先生。应我的请求，随即作一幅水墨仕女。他用极淡的水墨勾写仕女头部和衣纹的主要线条，随即用中墨画成头部和全身。画头部时十分仔细。画全身时线条遒劲而简练。最后，用枯笔写仕女所坐的石头，用温笔写芭蕉，又用浓墨点几片竹叶，再收拾一下仕女的眼睛和头发，总共不到一个小时，写成了一幅笔墨十分洗练的《芭蕉仕女》。

大千先生说，画仕女的要旨有三，即要见衣、见人、见性情。衣纹中要表现人物实体，人物要表现个性和情感。另外，要注意两气，即：无脂粉气，有书卷气。

谢无量轶诗

吴远度

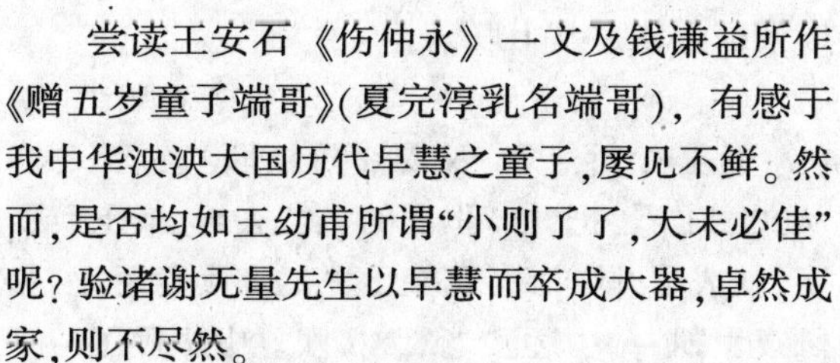

尝读王安石《伤仲永》一文及钱谦益所作《赠五岁童子端哥》(夏完淳乳名端哥)，有感于我中华泱泱大国历代早慧之童子，屡见不鲜。然而，是否均如王幼甫所谓“小则了了，大未必佳”呢？验诸谢无量先生以早慧而卒成大器，卓然成家，则不尽然。

笔者曩昔曾见谢无量手稿中录有二诗，并附小序云：

予六岁时从先君馆于庐江，时已能诵

唐诗。先君日课为五绝一首。尚记二绝——

纸鸢

儿童心怀巧,剪纸作飞鸢;
不是麻绳系,乘风直上天。

阴

云聚天欲雨,云散天欲晴。
晴雨都不定,搔首问太清。

蔡松坡征联求贤

颜　林

1916年2月,蔡锷将军率护国军驻节叙永期间,曾于总司令部所在地忠烈宫内宴请社会各界贤达名流。酒至半酣,他即席口述一上联,以询征下联。其上联云:

或(鹤谐音)在園中,逐去老袁还我國。

这是个拆字联,又是个置换联,意思双关。从文字上看,把"園"里面的"袁"去掉,换上"或"字,就成了"國"字。这个上联的实际意思是:打倒袁世凯——"逐去老袁",恢复中华民国——"还我国"。

席中乡贤刘斗山当即应声对曰:

雚(鹳谐音)邻柱侧,取消君主复民權。

下联也是个拆字置换联，意思双关。从文字上看，“柱”字去掉“主”换上“藋”字，就成了“欟”字。这个下联的实际意思是：推翻袁世凯的帝制，恢复民权。

刘斗山妙句巧对，工整贴切。蔡锷将军十分赞赏，抱拳曰：“兄弟适才名为求对，实则求贤。斗山先生既具文章功力，又富革命精神。可敬！可敬！可敬！”于是，蔡锷将军当众宣布聘任刘斗山为行辕秘书。众人无不点头称赞。

向楚诗挽罗一士

李兴辉

澜社联吟见此才，积年忧乐鬓毛催。诗书托命怜多病，垒块填胸借一杯。坐上客随新雨集，笔端花好四时开。画船一棹归山早，乘愿人天合再来。

老爱花城社雨新，无端天又夺斯人。墨狂随从君家法，此是凡青不朽身。

紫藤花好不成春，留与坟头挂剑人。何日共寻埋骨处，忍摊遗画说前因。

这是已故老同盟会会员、著名学者、原四川大学文学院院长向楚1937年挽题罗一士的三首诗。第一首是悼诗，后两首分别为题罗一士遗照和遗画诗。

罗一士(1889—1937)字宇端,四川成都人。他早年参加同盟会，致力于推翻清王朝的革命活动,尤以所撰《四川保路同志会报告》第十八号《告全国父老书》影响至大,为发展保路运动舆论之先声。民国后,西藏发生叛乱,四川都督尹昌衡改任西征军总司令征藏，曾延聘罗一士入幕赞襄川边政务。尹昌衡赴任后,继任护理四川都督胡景伊,秉承袁的旨意,大肆打击革命党人。值此危难之秋,罗一士旅欧赴法。在巴黎期间，罗一士与组织留法勤工俭学会的国民党人李石曾、蔡元培等过从甚密,并参与学会工作。时值第一次世界大战爆发,德军猖獗一时,席卷欧洲,法国全国骚然。罗一士与李石曾、蔡元培等患难相济,备经战乱流离。在他当年的寄兄家书中有记:“旬日前法军几为德军攻破，人心惶惶,莫可名状。弟避难南来,同行者有李石曾、蔡孑民、汪精卫……”

战后,罗一士游历欧洲各国考察,其间专程至伦敦敬谒马克思墓，并赋诗表达对这位先哲的仰慕。归国后,他因健康原因,一直留居成都。因其精擅书画，后任成都著名的文人诗书画团体“蜀艺社”副社长,从事书画诗文活动,著有旅欧观感诗集《十万程游草》刊行。

1937 年,罗一士因病逝世,年仅四十八岁,一代志士才人,惜不永年。《益州书画录》载其“民国肇造,首倡革命,奠定国基颇有力焉。工诗善画,而于花卉尤为出色。得者无不宝之”。已故著名学者、书画家张寒杉当年题跋罗画时亦赞“宇端翰墨,久重艺林,遗作尤为可宝”。

向楚与罗一士于1920年在蜀中名士骆成骧、冯雨樵所结“观澜诗社”中相识,至此后谈诗论艺,且俱为早年的革命党人,遂相交莫逆,结为挚友。

何鲁为人题门联

冯达甫

1940年,重庆载英中学迁广安,设分校。初创之时,需县人支持。当时县里有个士绅,姓李名君实,原是杨森部的一个副师长,已解甲乡居,被推为校董事长。李君实新建华居于城南链子桥头,负山面水,甲于全县。李请何鲁书题门联,其门联是:“立已慕羲皇以上;所居在廉让之间。”县人见后称其联情趣闲适高远,不慕名利,而对仗、书法都称一绝。然,深知何鲁品格的,则惑焉不解。莫非借重于人,乃有违心之笔?转而反复玩索,不禁拍案叫绝,“羲皇以上”是虚而无实人,“廉让之间”是不廉不让,这不正是对主人的公道评价吗?

山珍绿菜与《绿菜赞》

地　山

绿菜是四川芦山有名的山珍，因其稀有、价昂，为社会名流所称道，曾列为贡品与上层人士馈赠的贵重礼品。从芦山沫东乡山花村沿着崎岖的石板小路往上走，进入罗纯山脉的密林，到处是银色的飞瀑。在激流冲洗过的岩石上，常能见到一丛丛碧绿的藓苔植物，这就是闻名遐迩的林溪绿菜。

绿菜长在岩石上，在山溪的剧烈冲洗中生长，越是悬崖峭壁、人迹罕至的地方，越是长得葱茏茂盛。由于经常被水洗涤，显得晶莹纯净，细嫩清脆，比起蘑菇和地木耳，又是一番风味。

采撷绿菜要冒山陡路滑、掉下深谷的风险。有经验的樵夫，常是脚登草鞋，走近激流，一手牵麻布口袋，一手持专用竹刷，但听“哧溜”一声，紧贴着岩石把丛丛绿菜刷入袋口。然后在泉水中反复冲洗，口袋里装的便是“山珍”了。

山民把鲜嫩的绿菜采回家里，晾好晒干，再制成一块一块茶砖的样子，便作为成品上市。绿菜在清末民初是颇享盛誉的。清朝芦山县令李陵云还立了一座石碑，刻着宋代黄山谷的《绿菜赞》：

蔡蒙之下，彼江一曲，有茹之生，可以为董蘵。蛙蠙之衣，采采盈掬，吉蠲铣泽，不溷沙砾。笔以辛咸，宜酒宜餗，在吴则紫，在蜀则绿。其嗅味同，远故不录，谁其发之，班我旨蓄，唯女博士，史君炎玉。

原来宋代黄山谷在四川作官时，他的一位亲戚史炎玉给他寄去了一些山珍绿菜。经过品尝，山谷老人赞不绝口，不仅写诗赞美，还把它的产地、性状、制法作了介绍，把它与江浙一带的紫菜相比，一个是山珍，一个属海味，的确是很有见地的。芦山县令李陵云在碑中还刻道："此碑乃宋代黄山谷先生之《绿菜赞》也，历七百余年矣，向埋没于荒壤蔓草中。字迹仅馀仿佛，予甚惜之。询问诸老从涪前之家藏捐出书者，书法瘦硬通神，犹微见涪翁笔意。亟命石匠重镌，盖不胜今昔之感焉。"如今，这块石牌仍保存在县城中的姜庆楼里。这样，大诗人把山珍入诗加以吟咏，成为文坛佳话，绿菜也因立碑礼赞更加声价十倍。清末的包装纸很考究，曾把《绿菜赞》的碑刻拓印下来作为广告，无怪它能由荒凉山野送往钟鸣鼎食的帝王之家。

“下流社会”诗社纪逸

赵念君

先父赵熙清末在京任江西道监察御史，公馀余，与陈石遗(衍)、曾刚甫(习经)、杨昀谷(增荦)、罗掞东(惇曧)、林山腴(思进)诸先生组成诗社，常聚饮于“广和居”酒家。虽为朋辈文酒之会，实亦对朝政清议之所。因此，诗社绝无权贵参加。先父遂戏称为“下流社会”，自别于“上流人物”也。

某次社集，同人闲谈及直督陈夔龙（贵州人）之妻拜庆王奕劻为义父，皖抚朱家宝(云南人)之子拜奕劻子贝勒载振为义父之事，咸愤士大夫无耻，奔走权门。先父当即题诗于壁刺之，颇为时人传诵。店主恐因此贾祸刮去。

其中两首，流传至民元以后始公诸于世，惟知无名氏所作而已。

诗云：

居然满汉一家人，干女干儿色色新。
也当朱陈通嫁娶，本来云贵是乡亲。
莺声呖呖呼爷日，豚子依依恋母辰。
一种风流谁解得，劝君何苦问前因。
一堂二代作干爷，喜气重重出一家。
照例自然呼格格，请安应不唤爸爸。

岐王宅里开新样，江令归来有旧衔。

儿自弄璋翁弄瓦，寄生草对寄生花。

先父闻而笑曰："此我昔日戏笔也，尚不止此。如斥朱子结句云：'宝贝相参留此种，清明他日上谁坟？'尤较巧构也。"

"宝"者，朱家宝；"贝"者，载贝勒；"清"者，载为皇族；"明"者，朱为国姓。明亡于清，而认为父子，斥之尤甚。

惜当时以为戏笔，遂未钞存全诗。

朱家宝，先父"殿翰"同年。当时最重"年谊"，但不掩其丑行，爱憎昭然。正如老同盟会员刘禺生在其《世载堂杂忆》评清末政局云："朝政已无是非，言官犹有气节。"

朱德与格达的友谊

周锡银

格达活佛(法名洛桑登真扎巴他耶)于1903年诞生在四川省甘孜县金利土司辖区的德西地村。七岁时被选为甘孜白利喇嘛寺活佛,1920年赴西藏格鲁派(即“黄教”)的祖庭,拉萨三大寺之一的甘丹寺学经。由于他刻苦钻研,学识出众,八年后获得格西(即博士之意)学位。他不仅谙熟藏族的宗教、历史、文学、艺术,而且对天文、历算、藏医学等也都有较深的造诣。从西藏归来后,由于他“为人俭朴、公正、廉明,极喜帮助穷苦群众”,因而深受藏族群众的崇敬和爱戴。

1936年春夏，中国工农红军第四方面军和红二、六军团两大主力会师于格达的故乡甘孜县。格达活佛作为一个虔诚的宗教徒，在朱德总司令和刘伯承参谋长的亲切关怀下，在党的民族宗教政策的感召下，勇敢地投身到人民革命的洪流之中。年仅三十三岁的活佛被选为藏族历史上第一个人民政权——中华苏维埃博巴(藏族)自治政府的副主席。他忘我地工作、学习和战斗，受到党和红军的表彰。

1936年7月，红军在朱德、贺龙、刘伯承、徐向前的率领下继续北上。临别前，在明亮的酥油灯下，朱德总司令亲切地向格达说："你给红军很大的帮助。我们断粮的时候，你组织藏人给我们送来了青稞、豌豆；我们断柴的时候，你又给我们送来烧柴。红军不会忘记你，藏族人民也不会忘记你……"总司令的话还没有说完，格达已很激动："你不要再夸我了，我做的实在不够。"朱德接着说："我希望博巴政府这个藏人自己的政权要发展下去，多为咱们藏人办些好事。还有，我们北上后，一些不能走的伤病员要留在甘孜，麻烦你多关照。等他们康复后，再北上找红军。"朱德说着站起来，握起毛笔，用他那有力的大手，在红缎上为格达活佛写下了：

红军朋友　藏人领袖

朱德　一九三六年七月一日

然后朱总司令从头上取下缀有红五星的八角红军帽，双手捧给格达，说道："这顶帽子留给

你吧，看到它，就像看到了红军。”

格达活佛双手接过红军帽，两行热泪流下来，深情地说：“格桑花在草原盛开，红军给藏人带来了如意吉祥。请相信，我一定不辜负老朋友的重托，等着红军回来！”

在红军走后的严酷日子里，格达活佛奋力营救红军伤病员，耐心地期待着天明。抗日战争爆发后，他得知朱德总司令率领的红军抵达抗日前线的消息时，十分快慰，设法买了一本有朱德照片的书供在家里。后来，又请人从青海西宁买回一张《八路军山西奋战图》，挂在墙上，时常对着这些图片思念亲人并为他们的幸福而祈祷。他和群众一道，编写出一首首独具民族风格的诗歌来抒发自己的真挚情感：

红军走了，寨子空了。

寨子空了心不焦，心焦的是红军走了，
彩云是红军的旗帜，高山是红军的臂膀。

红军啊，你们给我留下了金石的语言，
藏族人民永远在你的指引下成长……

新中国成立后，格达活佛任西南军政委员会委员、西康省人民政府副主席。1950 年 6 月，毛主席、朱总司令电邀他赴京出席全国政协会议，共商国家大事。

朱德与成都昭觉寺

清　禾

1918年，在反对段祺瑞的护法战争中，滇军与川军交战失利，当时担任滇军旅长的朱德避难于成都昭觉寺中。该寺方丈了尘大师及僧众热情接待朱德，将其藏于寺中八仙堂内，躲过了川军追捕。当时，了尘常去八仙堂陪朱德品茗长谈。他对朱德的爱国精神和胆识才干异常钦佩，朱德对他的人品道德和学识亦十分推崇，两人的友谊日渐深厚。

1919年，朱德返部队时路过贵州，非常感激了尘大师和僧众对他的帮助，特托好友周官和回川请大书法家颜楷写了“应世人间”，制成大匾赠给昭觉寺。僧人将此匾挂在寺内观音阁的门额上方。

新中国成立后，朱德两次到昭觉寺视察，特地至八仙堂歇息。当他看到以前使用过的器物和匾额时，不禁回忆起与了尘的友谊，十分感慨。该匾在“文革”中被毁，现已由昭觉寺僧众将“应世人间”匾复制高悬，并将“八仙堂”更名为“思德堂”。

凉山彝族酒歌

彝族·阿鲁斯基

彝族爱喝酒，而彝酒一般是用高粱、荞子、玉米、燕麦等粮食混合配制，称为杂酒。相传彝酒是由一个叫迪梅的姑娘发明的，有歌唱道："曲源十六种/六种生长在六地方/高山上的是牧羊人采来/山坡上的是放牛人采来/崖间的是取蜜人采来/河水边是打鱼人采来/平原上是耕地人采来/迪梅姑娘很聪明/迪梅姑娘有智慧/将十六种曲源合成一种小曲粒/不会下曲的人来下/捏紧拳头下/奶奶会下曲/并指捻一撮/指尖弹开去。"歌中的"迪"为酒曲之意，"梅"指女性。杂酒一般是装在坛子和木桶里。如用坛子直接饮用时，将草木灰的密封皮剥去，从坛口插进几根细长的弯竹管作为吸酒通道，所以又称"杆杆酒"。如饮用木桶里的酒时，则需敲开木桶下部的木塞将酒放在杯或碗里饮用。

杂酒浓度低，只有二十度左右，酒味醇甜，淡酸，有止渴、解腻闷之效。所以彝族一般喝寡酒，而且喝得频繁，路遇路喝，街遇街喝，但每次喝酒都有其不同含义。歌中唱道："房圈屋内酒/女儿姑娘酒/缝衣刺绣酒/结婚嫁女酒/迎亲待客酒/民族团结酒/兄弟和睦酒/聚会议事酒/说理解冤酒/亲朋好友酒/早晚问安酒。”

每年的农历十月间是彝族过年的节日，喝过年酒，祝贺五谷丰登，六畜兴旺，清净平安。同时以酒敬祖敬神，祝福来年万事如意，风调雨顺。所以过年酒是吉祥幸福的酒，要趁早作好过年的准备，“计算着月份养猪/计算好天日酿酒/就怕酒不好/砍来山上竹/编织竹篓来发酵/割来岩上草/编织草垫底/取来江边石/石板盖上顶/七至十三天/酿出满花酒/酒气溢四方/辣中有香甜/辣味麻双唇/甜味舌尖香。”这是从彝族人民心中唱出的古朴直率的幸福歌。

结婚是人生中的大事，彝族喝喜事酒显得格外闹热。彝族歌中唱道：“猎狗进山林/獐鹿跳出林/弯钩跳下水/鱼儿跳出来/米酒喝下肚/歌声飞出来/白酒杯儿像彩蝶飞舞/红酒杯似弯弯的彩虹/花酒杯儿像喜雀闹喳喳/黑酒杯儿像猪齿交错。”可见其场景是多么兴高采烈。

彝族爱酒，离不开酒，但他们讨厌酗酒。有歌曰：“喝一杯值金子/喝两杯值银子/喝三杯连狗都不值。”还有一首民歌说的是一个苦命的妇女遇上酗酒的男人，表达了妇人怨恨与耐心的规劝：“喝过量酒的人/把一个人看成两个人/一句话说成两句话/好比云雾底下辨不清方向/吼叫的不知是猪或是狼/惊涛浪边不明声响/醉人口里听不明事项/人对酒伸出手/酒致人瘫如泥/美言美语出自酒杯边/胡言乱语来自酒杯底。”

从这些质朴的酒歌中，我们能了解到彝族豪爽的性情和向往和平幸福生活的愿望。

“霞　木”

彝族·阿鲁斯基

“霞木”在彝族语言中为“抢亲者”。彝族古语中“霞”为“抢”，“木”则是“做”或“从事”之意。

彝族历史上有过“抢亲”的习俗，而被抢的女方则认为，自己是被抢来的，不是走来的，感到很体面和荣耀。事实上，婆家很尊重被抢来的媳妇，因而媳妇显得特别高贵。当然，抢亲不是乱抢。按规定：一必须征得女方的同意；二要在同一等级，双方条件相似；三家庭财产差异不大。如果双方都达到了要求，就由女方家庭中的成员进行沟通，这样的“抢亲”才是有效的。否则男方要杀猪宰羊，背酒上门给女方赔礼道歉。

霞木成员一般由三至五人或七至九人组成。总之必须是奇数，以示吉祥。成员中至少有一人是新郎的弟兄，称为“霞木格”，主持霞木队，“格”是领队人之意。在“抢亲”的过程中，队员们难免不受新娘家的小伙伴、姑娘们打闹，泼水、抹花脸、摔跤、克哲（彝语对歌对话比赛的形式）等活动的考验，特别是霞木格，因他代表着新郎。充当霞木必须胸襟宽阔，性情乐观，方能胜此任。

女儿出嫁这天，新娘的小伙伴特别活跃，许多动手的活动都由他们充当。首先得准备盛满水的大盆小桶，即使是寒冬腊月，冰天雪地，也不例外，并将其整齐地排列两行，摆在霞木必经之路上。霞木队兴致勃勃地开来了，身裹“查尔娃”，蒙头盖顶，毫无顾忌地往院里冲。瞬时倾盆倾桶之水泼向他们，而院内的姑娘则以“哦—咿—”之声伴随。当他们一身湿淋淋地冲进屋后，这些姑娘又将锅烟墨抹在霞木们的脸上，回到新郎家前是不准擦洗的。

次日凌晨，进行霞木扭新娘耳朵的活动。由许多姑娘组成的护卫队，层层护卫着新娘。霞木们则轮番进攻，但往往是因姑娘防守严密而惨遭失败。因守方可用拳击、手推、拉等方式护卫，而攻方则只能用身体，不能用手，所以屡遭失败。在这种情况下霞木不能生气翻脸。否则姑娘们就要指责他：“在姑娘面前软弱无能，没有做霞木的本领。”其余的霞木则要唱挽留歌，挽留受责的霞木。对完歌后，霞木又轮翻进攻，直至扭到新娘的耳朵为止。打闹习俗来自“亲家不打不亲”一语，在彝谚中有“结婚三天尽情地玩笑，没有玩错的规矩，没有笑错的理由”。

扭过新娘耳朵，便是摔跤比赛开始。女方选手跟着登场，霞木选手若不及时登场，在那里扭扭捏捏，相互推诿，哗，一瓢冷水就会向他泼去，啪，一掌锅烟墨随之而至，再次印在他的脸上。

在比赛活动中,如女方选手胜了,亲友自然是欢呼雀跃,兴高采烈地大声唱道:“赛歌赛舞赛不赢,休想把我们的姑娘接!摔跤胜不了,和我们开亲配不了。”霞木自然会有无脸见江东父老之感。然而,玩笑归玩笑,亲还是娶定了。

凉山火把节

王地山

凉山火把节是彝族的传统节日, 每年农历六月二十四日、二十五日都要举行这项活动。

对于火把节的来历说法很多。其中有一种说法是人战胜魔王,就是说天神见人们穿树皮、吃野果,生活太苦,便同情地将一把玉米撒在地上。从此,人间庄稼茂盛,生活一年比一年好,眼看要超过天上。有个魔王气不过,便叫手下的大力神到地面来破坏庄稼。殊不知,魔王的大力神打不过人间的大力士,被大力士抓住,摔到十里之外。魔王便把炉灰撒到地面,变成害虫,吞食庄稼。于是,人们便点燃松枝火把,尽情呐喊,消灭害虫。这种活动,随着岁月流长,便成为彝族同胞传统的火把节日。

在“所地”(小裤脚)地区的布拖坝子、普格坝子过火把节,可谓规模盛大,气氛热烈。节日的头一天(农历六月二十三日),村民就集资买一头老牛，在暮色苍茫中用锥把牛打死，叫做“打牛”。然后，每家燃起一支火把，围着牛高声吆喝，尽情呼唤，吹竹笛，欢歌漫舞，拉开了火把节的序幕。

在节日的白天，家家饮酒，吃坨坨肉。人们穿起新衣，头戴瓦盖，身佩银饰，在村旁的坝子上开展具有民族特色的竞技和歌舞活动。男人们斗牛、斗羊、赛马、摔跤。选手们通过激烈的竞技，表现出自己的勇敢、体力与智慧。女人们便唱歌、吹口弦，弹月琴、跳“荷花舞”，男女老幼坐在高处，看儿童们在一起嬉戏。真是热闹非凡。

入夜，火把节正式开始了。布拖坝子的火把是用细细的箭竹扎成的，普格坝子的火把是用蒿枝扎成的，点燃后飘溢着清香药味。众多的火把在夜幕中迅速挥舞，形成火龙、火圈、火花，光焰夺目的各种图案飞腾闪烁，构织成一幅幅如满天星斗落人间的壮美绚丽、变幻莫测的迷离夜景。青年男女奔跑嬉戏，跳舞中萌发了爱情。普格坝子的男女青年，每人撑一把黄布伞，在伞下相亲，作为倾诉友谊和爱慕之情的媒介，度过难忘的夜晚。

精美的羌族挑花和刺绣

周锡银

挑花和刺绣是羌族传统的民间工艺美术，是劳动人民的艺术结晶。她们从小就受到严格的训练，常常在耕种之余纺线、织麻布、织毯子和挑花、刺绣。姑娘们一生挑绣的高潮是在出嫁前夕。她们既不打样，也不划线，仅用五色丝线或绵线，以娴熟的技巧，信手挑绣成具有民族风格、绚丽多彩的各种图案，或自然纹样或花卉麟毛。其针法除多采用挑花外，尚有纳花、纤花、链子扣和平纺等几种。挑花精巧细致，纤花、纳花清秀明丽，链子扣刚健淳朴、粗犷豪放。挑花的色彩，以黑白对比的居多，也有用少许色线挑的。有的飘带全用色线参差分条排列，采用纳花针法。对比强烈，如五彩虹霓，绚烂夺目。

羌族挑绣图案题材广泛，源于自然，来自生活。羌民受大自然熏陶，长期观察自然景物——日、月、山、川、飞禽、走兽、花鸟、虫鱼，加以体会揣摩，产生了线条、颜色、节奏等灵感。挑绣图案大致可以分为：各种规则的几何图纹，表现日月山川的花纹，植物中的花草、瓜果，动物中的鸟兽虫鱼以及人物等等。图案所示的内容多为吉祥如意以及对幸福生活的憧憬与渴望，如“团花似锦”、“鱼水和谐”、“蛾蛾戏花”、“凤穿牡丹”、“瓜瓞绵绵”、“五谷丰登”和“群狮图”等数十种。这些装饰性很强的花纹图案，无论是在羌族群众的腰带、衣裙、围腰、鞋沿、鞋带上，或是妇女的头帕、袖口、衣襟乃至袜底上都可随时见到，无不秀丽精致，栩栩如生，千姿百态，充满了对大自然的喜悦感情和对生活的强烈热爱。

羌族的挑绣制品，不仅结构完整，形象突出，色彩绚丽，工艺精巧，具有愉悦性，而且借助那密密麻麻的针脚，增强了衣物易磨损处的耐磨性能，延长了使用寿命，具有实用价值。

羌族的碉楼、庄房、索桥和栈道

周望潮

一进入羌区，首先映入眼帘的是那奇异的景致，鳞次栉比的碉楼和庄房，古城堡式的山寨，层层的梯田坡地，似火的红柳，滴翠的白杨，交相辉映，构成了一幅幅壮丽的画卷。

碉楼，一般都修建在要道、山脊或村寨的中心。羌族建筑工匠以石片为原料，黄泥为粘合剂，凭高超的技艺，不绘图，不吊线，也不用柱架支撑，信手砌成，高达十三四层。经历百年乃至多次地震不倾塌，堪称建筑艺术上的奇迹。碉楼主要用来防御敌患，亦可住人储粮。

庄房，为羌民住宅，主要分布在高山、半山或河谷台地之上。羌民一般是三五十户聚成一个寨子，故曰山寨或羌寨。庄寨的外形绝大多数为堡垒式(似几何学上的立体四角锥台)。庄房分三层和两层两种。三层者，底层为牲畜厩舍并堆放杂草和沤粪，层高较矮，外墙不开窗。中层为居住用房，除卧室、贮藏室外，还有锅庄(灶)。正中靠墙处供有神位，层高可达四至五米，为一家人起居、会客及婚丧礼仪之地。顶层为开敞的照楼和晒台，供晒粮、脱粒、老人散步、儿童游戏。两层者，人居楼下，楼上则为晒台及储放杂物之处，牲畜圈和厕所在庄房旁边。庄房大多有壁饰，图案简单明朗。有的庄房背刻上犬、羊等家畜图案，作为装饰。

索桥，为羌族建筑艺术的又一杰作。古往今来，在岷江上游湍急的江流上，在高山峡谷的深涧中，分布着许许多多的索桥。索桥，又名绳桥。因为是古羌族笮部落所发明，所以古代又称笮。古代茂州羌人制作跨江索桥，先立两木于水中为桥柱，架梁于上，以竹为絙，密布竹絙于梁，系于两岸。或以大竹篓盛石，系绳于上，又以竹绠布于绳，两岸以木为机，绳缓则转机收之。近代又改竹索为铁索，遂有当年红军长征飞夺的泸定铁索桥。

栈道，又名“阁道”或“复首”，即指古代羌民在峭崖陡壁上凿孔、架木、铺板而成的悬空通道。今天，我们还能在羌区目睹这种“缘崖凿孔，插木作桥，铺以木板，复以土，旁置栏护之”的虚阁栈道的残迹。据说此道路径狭窄，行人左肩担物，不得换右肩，故名“左担道”。筑路工人在这悬岩上斧凿出艰险道路，使羌区绝路相续。

溜索，空中飞人

李华飞

清代姚莹在《康輶纪行》里写道：“蜀有笮桥，李实曰：‘笮音作。’松潘、茂州之地，江水险急，既不可舟，亦难施桥；于两岸凿石鼻，以绳絙其中；往南者北绳稍高，往北者南绳稍高。手足循索处皆有木筒，缘之护手易达。不但渡空人，且有缚行李于背而过者。”这段记载完全与我在艺术摄影里见到的一幅奇特画面相同。情景惊险，引人入胜，不由我不久久注目凝视叹息：“真赛过南洋杂技团的空中飞人！”

老友杨君放汶川县知事，他说曾尝试过一次溜索，差点吓成心脏病。我去他那里作客，引起欣赏的兴趣。在饱餐虫草炖鸭之后，由羌族事务员姚大爷陪着去杂古脑河一处支流的深谷。岸边是县政府的税卡，不远就有“通道”的溜索，它悬挂在激流上空。不久后来了个穿羊皮褂的羌民，肩上背着麻袋，手中牵头山羊。他不慌不忙把羊四脚一捆送上溜索，自己再用绳系着溜

壳子，手握索双脚蹬着滑行起来，河风吹动他白色的头帕，蓝天衬托的翠峰似在飘动，这比看图片更惊心动魄，我控制不住恐惧叫道："真危险，太可怕了！"

姚大爷淡淡笑道："都习惯了，只要掌握要领，没甚可怕。溜索是用一根粗大结实的竹索系在两岸的石柱或木桩上，随山形水势架起。过河的人，随身携带一节挖成马蹄形的青枫木叫溜壳子，过河时倒扣在竹索上，下面吊一个竹编的兜框坐人或放物，并用皮带或牛筋绳紧束腰部，借斜度徐徐滑动。从低处到高处，无法滑行，要靠手拉脚蹬向前……"

"如果竹索断裂，掉下去就粉身碎骨了！"

"经常检查修整，很少发生事故。"

交谈至此，那位羌民已滑过抵岸，我们忙走上前，见是一位肤色略显黝黑的中年人。他放下羊，背上麻袋，脸部毫无一点惊恐的表情，仅仅用衣袖拭去额间汗珠，对我出神地望着，闪出几道陌生的目光。

溜索又叫绳渡，是原始的过河方法，表现了先民的智慧，对生产起过很大作用。如今多被索桥所代替了。

康定的“转山会”

回族·张　央

四川康定，原名打箭炉，简称炉城。地处峡谷，跑马山、郭达山、阿里不谷山三山环抱，折多河、雅拉河南北汇于城东的康定河（古称炉水），是藏、汉、回、彝等民族同居共处之地。这里的先民笃信藏传佛教，每年藏历四月八日（基本与农历同步）有“转山会”活动。

四月的康定正是春光明媚，万山葱茏，百花争艳时节。相传释迦牟尼就诞生在这月，藏语叫“奔觉达娃”，可译为“十万倍之月”，含意是：人作善事一件，诵佛一声，便可得十倍之功德。过去信佛者于四月一日就要去寺庙租赁空房居住，除随喇嘛上殿诵经外，余下时间自己默念六字真言，谓之“吃哑巴斋”。据说四月八日是佛诞辰日，佛曾浴于九龙池，而被称为“浴佛节”。所以这一天，信佛者要邀约亲朋邻里前往寺庙。应邀者往往穿着鲜艳的服装，携嘛哩经旗布，口念“嘛哩”（六字真言）出东关，沿跑马山东小径登跑马坪，然后西下经过折多河的公主桥，踏上康藏大道，行千余步到明正土司较场，再转向金刚寺和南无寺，到达礼佛酬神的中心。届时双寺内香烟缭绕，鼓钹、唢呐、莽筒齐鸣，伴随着诵经声

回荡于炉城西郊上空，气氛肃穆。

佛事活动后，亲朋邻里一起在双寺柳林间野餐欢聚，载歌载舞，锅庄弦子此起彼伏。青年男女也借此机会谈情说爱。时近黄昏，阿里不谷山的子耳坡小径上，往返的转山者络绎不绝。去跑马山，或只去双寺就返回的被称做“小转”；从跑马山起至子耳坡返回的则被称做“大转”。无论是大转，还是小转都被称为“转八角”。那些不爱佛事活动的汉、彝、回等农牧民也愿意参加炉城盛会，有的甚至从百里以外赶来。

一个回族实业家的葬礼

回族·温田丰

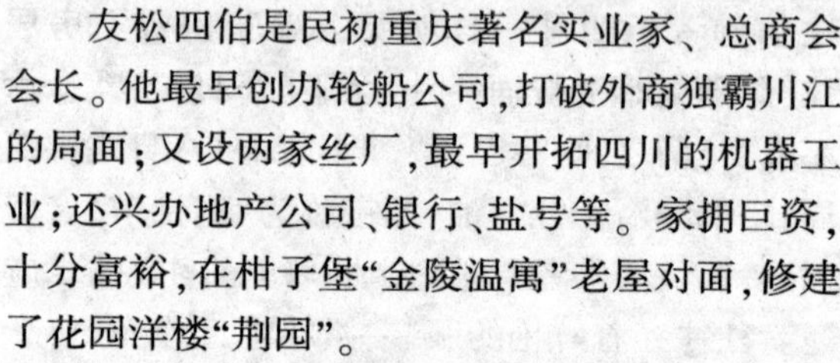

友松四伯是民初重庆著名实业家、总商会会长。他最早创办轮船公司，打破外商独霸川江的局面；又设两家丝厂，最早开拓四川的机器工业；还兴办地产公司、银行、盐号等。家拥巨资，十分富裕，在柑子堡“金陵温寓”老屋对面，修建了花园洋楼“荆园”。

1925 年，四伯因肺病去世，举办一场轰动全城的葬礼。柑子堡街上、荆园院坝，搭起白布孝棚；街口门口，扎起松柏牌坊；棚下坊上，挂满彩灯；四面八方，无数挽联祭幛；入夜时候，彩灯齐亮。穿孝服的人群，汇成白色的海洋，充满沉痛肃穆气氛。

按伊斯兰习俗,四伯遗体只能睡于"水船",由阿訇主持穿衣,念诵"古兰经",停放不超过三天,谓之"速葬"。吊唁的亲友,络绎不绝,在哀乐声中到灵前行礼,披麻戴孝的孝子伏地答谢。出葬那天,将遗体移入黑漆经匣,孝子孝孙跪在灵堂,谛听数十名阿訇逐个绕灵诵经祈祷,每念一句"安思那摩库达旦……",便敬送一个红纸封厚礼,然后,将经匣捧上缠了红布的数丈长的"龙杠",外笼鲜花扎成的柩罩,由三十二人抬着出门上路。

送葬的行列长达数里。"铭旌"由军乐队护送开路,后跟二十八宿的古式仪仗队。随后是数十盏弯架白绸宫灯,数十台演员扮演的桌戏,数十四小孩化装的"顶马"。各商帮的"玉锣"(打击乐),此起彼伏。排成长列的挽联祭幛,随风轻轻飘动,数百人的各商帮代表紧跟前去。灵柩由几个人拉着数丈长的白布"孝纤",圈着麻衣、麻冠、麻鞋的孝子孝孙,垂首默哀,后边跟着大群穿一般孝服、孝鞋的亲戚。我是亲侄,扎了垂尾的拖头孝。按回族教规,不能让女眷送葬。

行列缓缓移动,游遍全城,沿途观众筑起人墙。随灵设有几个高高的"路祭"祭桌,饰以绣花桌围,上摆香烛供果。灵柩一到,爆竹辟啪,鼓乐奏鸣,孝子孝孙跪于灵前。主祭人行祭礼,宣读祭文。这支庞大的队伍,走走停停,从清晨至中午才到离家五里的通远门城门洞……

到达墓地，送葬者散去，我随哥哥们望注朝天，对着滚滚长江跪拜。白沙石坟坑内，已刻上经文，铺洒麝香药物，俟遗体抬出经匣，由阿訇平放井底（不用棺木），盖上刻有经文的木板和巨石，长子掩上第一撮泥土，葬礼就算完成。

认 干 儿

马达仁

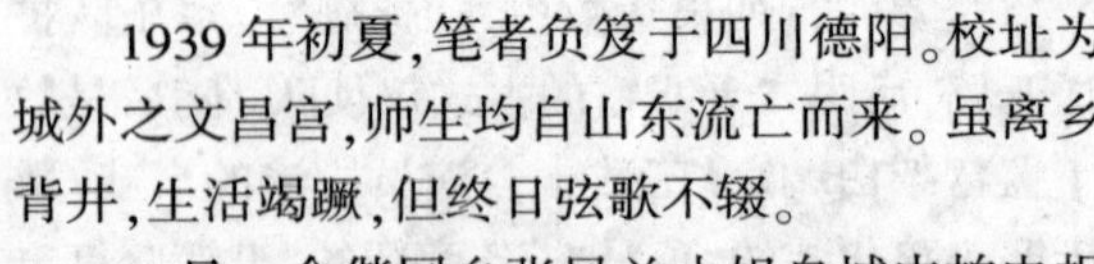

1939年初夏，笔者负笈于四川德阳。校址为城外之文昌宫，师生均自山东流亡而来。虽离乡背井，生活竭蹶，但终日弦歌不辍。

一日，余偕同乡张风兰小姐自城内拍电报事毕返校，路过乱葬岗，见二少妇鹄立道旁，怀中各抱一婴儿，左顾右盼，似有所待。细审之，身后各有一香案，置香烛果蔬。心甚奇之，以为祭神道者。二少妇见余等至，互递眼色，继而面带笑容，注视于余。及余值近，二少妇拦道招待，曰："伯伯行个方便！"余愕然不悉何故。正迟疑间，一少妇曰："吾乡习俗，小儿拜外地人为干爹，可以成人且长寿。向闻此地多外乡人，故来此迎候，望伯伯幸勿拒之，但太太望能先行。"风兰闻之，赧然微嗔，怪其误以我二人为夫妇。余示意彼先行回校，勿与计较。

余时年十五，身高一米七，步行入川，风餐

露宿，面孔黝黑，外人见之，俨然成年。

俄顷，身材较高之少妇见余有允意，乃告我认亲仪式：一、点燃香烛，二、洒酒祭天，三、向四方射箭驱邪，四、小儿三拜干爹，五、为小儿取名，礼成。余于是遵嘱点燃香烛，洒酒三杯，望天三揖，以示隆诚。继而射箭。弓为篾片弯成，麻线为弦，箭可盈尺，但无簇，乃一木枝耳。首箭射出，远不及丈，少妇睹此，似有不怿之意。及二箭射出，二丈有奇，少妇欣然。三四箭亦如之，唯方向不同。至此，少妇持小儿双手合十，向余三拜，并代儿作连呼干爹三声。视婴儿，不过弥月，木然不知其母所为。继而少妇求余为小儿取名。余忖思片刻，取名永贵，少妇闻之大喜。然后斟酒三杯，挟扣肉三片以为敬，余一一饮之啖之。最后少妇取手帕一幅为礼。手帕一尺见方，细白布为之，绣狗牙边，中绣松鹤。余称谢，并出铜元二十枚充小儿见面礼。少妇笑纳之，曰："吾家居绵河之东糖房侧，王姓，望亲家时来作客。"余学四川话答曰："要来！要来！"

余正欲辞行，另一个少妇扯余右臂，要求亦认其女为干女儿。盛意难却，行礼如仪。余为女婴取名芳华，恐其不解，略为之释。少妇含笑，亦赠以方帕一，其尺寸花边无异，但中绣梅开五福（蝠）。余亦以铜元二十枚为礼。

开江民间行会与神祇

孙仁良

晚清至民国时期，开江县各行业均有“行会”，各祀其神。呈例数端，可窥其民风世俗。

药王会　华陀神医先师，中医药帮业尊称为药王。普安场新街有药王庙，农历四月十八日药王诞辰，举办药王庙会祀之。

轩辕会　相传黄帝教民制作衣裳，成衣帮(裁缝)奉为始祖。县城建轩辕宫，塑金身其中，九月十六日为轩辕会期。

嫘祖会　传说黄帝之妻嫘祖，教民养蚕治丝，纺织业奉为始祖。普安场南街有机神庙，九月十九日祭祀，城乡赶庙会者如潮。

蔡侯会　造纸、印刷业供奉东汉发明造纸技术的蔡伦。县内各纸业作坊逢七月十七日办蔡侯会(或称山神会)。

罗祖会　据称清人入关的第一个待诏名罗祖(理发师)，理发业奉为先师，七月二十三日为会期。

詹王会　汉朝皇宫御厨师名詹，被皇帝误杀，后追谥为詹王，厨师帮奉为始祖。县城川主庙内塑有詹王像，八月二十三日庙会祀之。

鲁班会　泥、木、石、砖瓦行业，供奉战国时巧匠鲁班。五月七日为巧圣先师千秋,六月十六日是鲁班节,均有祭祀。

张爷会　屠宰帮供奉蜀汉大将张飞为神祇。全县原十六个场建行会十七个,张爷庙十六座,七月十三日办庙会祀之。

雷祖会　相传雷祖专管五雷霹身,惩治不孝父母和糟蹋五谷的人。水食业祀为尊神,六月二十四日祭祀雷祖大帝圣诞。

三官会　三官即天官、地官、水官,亦称三元,茶馆业叫三元会。长田乡建有三元宫,正月十五日上元天官张天师圣诞,七月十五日中元地官大帝圣诞,十月十五日下元水官大帝圣诞,均有祭祀。

杜康会　酿酒业奉杜康为始祖,八月十五日各酒作坊杀猪宰羊祭祀。

老君会　金、银、铜、铁、锡五匠供奉李老君,二月十五日太上老君圣诞祀之。

梅葛二仙会　相传梅仙是绘制彩锦的神祇,葛洪是东晋时道教伦理家,精医、化学科,后人尊为染色帮始祖,六月十六日为会期。

老郎会　戏曲行当称唐玄宗李隆基为梨园神,俗称老郎神。境内原十六场设有老郎宫,六月六日为老郎会期,各场玩友以娱自遣,设宴祀之。

扣篾会　湖广入川世居开江普安筒车铺的曾氏先祖,精通扣篾制作,工艺独特,蜚声省内外。此技艺只传同族,不传外姓。族众以先祖阴

寿之期正月二十三日聚会祭祀，遂成行会。

此外，县内制鞋业还有“孙祖会”，教师有“大成会”，商贸界有“财神会”等。

川北民间婚礼

陈嘉章

民国以前，通(江)南(江)巴(中)等川北地区的婚礼，基本上是沿袭《周礼》的纳采、问名、纳吉、纳征、请期、迎亲等“六礼”程序成婚。男女双方均凭“父母之命，媒妁之言”，本人不能自主，故有“天上无云不下雨，地下无媒不成亲”之说。其礼俗是：

出脚：经过媒妁之言，沟通男女双方家长意见，确定出脚日期。即由女方家长或至亲同媒人去男家，了解家庭概况及儿郎面貌。如无异议，便约定订婚之期。有如“六礼”之纳采、问名。

订婚：女方家长率同族至亲数至数十人，按约定日期，到男方订婚，书写“龙凤简式”，男女双方各执一份，表示凭证。男方备有闺房用品及衣料等物，送给女方。女方备文房四宝及衣帽鞋袜等致谢男方。如“六礼”中的纳吉、纳征。

请期：男女成年后，准备结婚，即请期(俗称看期)。男方托媒人到女方讨庚，女方如同意，将坤造出生年月日时开出，请人选择吉日良辰结婚。吉期择定后，男方备礼具书，请媒人送至女家。双方各自准备迎亲送嫁。

迎亲：婚期头一天，女家派人将嫁奁送往男家，陈列于新房中。

婚期三天。吉日前夕，称伐酌酒。亲朋送彩礼，以示祝贺。吉日良辰为正酒。是日，男方于晨备彩轿（花轿），由媒人（夫妇）、娶亲人（夫妇）乘轿（男的坐滑杆，女的坐兜兜轿）伴同新郎（乘士轿）率领鼓乐、彩旗队，前往女家迎亲。女方管客师主持接待，先交礼，再组织娶亲人、送亲人（新郎、新娘的叔伯或已婚兄长，均是夫妇俱在者）见面，相互致词，礼毕，收礼，早宴。宴毕，举行发亲礼。堂屋设仪堂，花轿入仪堂，挂红戴花（称状元花——金银打制）。茶盘献酒，敬天地、祭祖宗。男女双方管客师各致谦词后，迎亲人出堂，登轿先回。

新郎于堂案前行四大礼，告辞出堂，上轿起程。

女方送亲人令本族至亲壮年子侄抬花轿进堂、送新娘出堂，父母致临别赠言，鼓励于归。新娘以竹筷一束撒地（谐快乐），从方斗（量具）上轿。

花轿至新郎堂门前停下，男方管客师“回车马”，再入堂交亲。

拜堂：堂内设置仪案。两位原配夫妇双寿老人，点烛燃香。当烛光辉煌之际，扶新娘与新郎拜堂。一拜天地，二拜祖宗父母，三拜三亲六戚

中的长辈。长辈还要给新人“打发钱”。礼毕后，新郎新娘入洞房，由伴郎伴娘扶持新郎新娘抢房，抢床入座。先入者，表示以后不受对方欺负。

堂屋拜堂，横屋设午宴，分男女宾席，送亲人入主席，迎亲人陪坐。当上第一道菜时，厨师为讨喜钱，于菜上插花。女方送亲人手出喜钱后，厨师加菜两份。宴毕送客。

晚上：吃闹房酒，凡男方弟兄子侄，均可前往闹房，与新郎开玩笑。新娘从娘家带来的瓜果等物，散与子侄孩童，即吃喜。

次晨，新娘着礼服，亲捧汤汁奉姑，行四跪三叩礼，姑要给与金钱，曰拜茶。

三日后，女方备轿，请新郎（称大乘龙、大相公）回女家拜岳父岳母，俗称“回门”。仍于堂屋设礼堂，先拜祖宗，再拜父母，三拜亲戚。被拜族戚，要给新人金钱。午后，原轿送回。

至是六礼告成，从此夫唱妇随，百年偕老。

民国以后，川北各县城内富家子女，上了新学堂，学时髦，讲恋爱，结婚程序，一改旧仪，称之为“文明结婚”。而有的仍由媒人撮合，仍袭旧仪。

武侯祠的变迁

梅铮铮

成都最早的武侯祠，大约出现在公元四世纪初。据史书记载，西晋割据四川称王的李雄，始建武侯祠于少城，《方舆胜览》有记。又殷芸《小说》中：桓温伐蜀“夷少城，独存孔明庙”可证。南郊惠陵和先主庙旁的武侯祠，建于何时，已不可考。从杜甫“丞相祠堂何处寻，锦官城外柏森森”和李商隐“蜀相阶前柏，龙蛇捧閟宫”诗句推断，该武侯祠约建于公元五世纪。

据《四川通志》、《昭烈忠武陵庙志》所记，武侯祠在宋元时期变化不大，其间有过多次修葺。

宋绍兴二十八年(1158),任渊主持了一次较大规模的修整,他有《重修先主庙记》,详述其事。

明初,朱元璋第十一子、蜀献王朱椿南游武侯祠和先主庙,以"君臣宜一体"为由,将孔明像移置于先主庙内。另在刘备殿外增建东、西两庑,后又附北地王刘谌、诸葛之子诸葛瞻及关口守将傅佥。落成后遣官致祭,自此武侯祠废。但现存明碑记载:"明洪武初,以昭烈庙为陵寝所在,令有司春秋致祭。蜀献王之国,首谒是庙,谓君臣宜一体,乃位武侯于东,关张于西,自为文祭之。盖至是武侯废祠而乃以其碑碑庙中,观者不察,遂谓以武侯庙庙先主耳。"按碑文所述,时人似将先主庙称为武侯祠,这当是诸葛恩泽后世之故。

明季,武侯祠毁于兵燹。清初在川湖总督蔡毓荣倡议下,川按察史宋可发于清康熙十年主持重修武侯祠。为了兼顾君臣之礼序,在废墟重建祠庙时,改为一庙两殿,"前殿祀昭烈,两庑列从龙诸名臣,后殿奉侯,配以子瞻、孙尚重死事也"。形成了今之所见大致规模。出于对诸葛亮的尊崇,宋可发等特将此次重修的君臣合庙,以诸葛亮为主,名为武侯祠,并勒石为铭——"重修忠武侯祠碑记"。

清乾隆年间,有人提出恢复昭烈庙之名。川布政使周琬认为"以今地为武侯故祠而昭烈移入者,与旧志不合",要求更正,于是又称祠庙为昭烈庙。但"蜀人之口习武侯,而不复别以昭烈”。时至今日，人们仍习惯以武侯祠相称，视门额“汉昭烈庙”于不顾。

赵藩题武侯祠联

颜　林

能攻心则反侧自消，从古知兵非好战；

不审势即宽严皆误，后来治蜀要深思。

这是成都武侯祠一副名联。作者赵藩（1851—1927），号樾村，云南剑川县人，清末任四川巡按使，写此联时任四川盐茶道使。他为何撰写这副对联呢？有一则鲜为人知的轶事：

清光绪二十七年（1901），川东一带义和团散发揭贴，提出了“灭清剿洋兴汉”口号。次年，进攻资阳县城，并在成都附近石板滩等处起义。清政府特调岑春煊接任四川总督，多方镇慑。岑到成都后，采取“治乱世，用重典”手段，派兵围剿、屠杀，受到四川人民切齿痛根。

赵藩，曾在云贵总督岑毓英（岑春煊之父）幕府任文案，并应聘教其诸子，与春煊谊在师友之间。但此时身居下属，不敢当面规劝，乃撰书此联，借赞颂诸葛治蜀功绩，望春煊能喻讽谏之意。

此联悬挂后，岑春煊尚不知此事。赵藩又请春煊到武侯祠赴宴，让岑亲眼看到。岑看后，心

怀不满。不久就把赵藩外放永宁道,这可是赵藩未曾料到的后果。

川南名胜——春秋祠

颜 林

川南门户叙永,镶嵌着一颗璀灿的明珠——春秋祠。春秋祠座落在县城中心,建于光绪二十六年(1900),主要建筑有乐楼、走楼、大厅、正殿、三官殿等,不仅景色幽雅,建筑精巧玲珑,且祠中雕刻尤为精美,堪称一绝,被誉为“川南瑰宝”。

据《叙永县志》和《春秋祠记》载:春秋祠,即陕西会馆,祀关羽。清光绪二十六年由陕西帮张集成等七家盐商经修,历时六年始成,面积二千五百平方米,耗资白银三百万两。相传,春秋祠营建招标的消息传出后,各地能工巧匠纷纷前来献艺投标。最近发现正殿主梁有刘如、江继三、江云武的署名,可能他们就是掌墨师。步入祠门进入大厅,厅内陈列的木刻《叙永八景》格外引人注目。它把双桥夜月、万寿朝霞、红岩霁雪、漫岭腾云、铁炉晚渡、定水晓钟、宝珠春眺、流沙悬练等八景,按实“写生”刻成,并配以木刻即景诗十二首。木刻画中的悬岩、瀑布、茂林、河流、小桥、小舟、房舍、人物,动静相宜,形象逼真,其雕刻阴阳凹凸,鬼斧神工。木刻诗书法苍劲,刀法精湛。“抱郭东南二水流,双桥横锁大江秋。长虹远架形如绘,夜月光凝影倒浮。”读诗赏画,似乎伫立舟中顺流而下,一路领略永宁河畔的秀丽景色。

大厅后面是正殿。正殿也是凿柱雕梁。前面四个撑拱上分别有两对镂凿剔空的龙凤，两条龙盘曲回绕,两只凤展翅腾飞,神韵各具,雕刻细腻。撑拱由完整的圆木雕镂而成,那凤翅伸展在空中左右约 35 厘米。殿前正中门楣上有九龙枋和凤枋，分别凸雕着九龙九凤。九龙体态矫健,龙爪雄劲,口含宝珠,奔腾于云雾波涛之间;九凤身附彩霞,翩跹起舞。好一幅龙凤呈祥图。殿内十二根大柱的础石和陈设的石鼎炉等物上,有刻龙凤的,有刻山水的,有刻渔樵耕读的,有刻“孙悟空巧借芭蕉扇”、“关云长辞曹挑袍”等戏剧场面的。其雕镂技术娴熟,线条流畅,细而不纤,粗而不犷,为石刻中上乘之作。

春秋祠就连小小的窗棂也大放异彩。来到名贵木材楠木做的“百鸟梅花窗”前,只见那八扇古色古香的花窗的小小窗棂上，雕刻着百余只鸟儿和许多梅花，巧妙别致地组合成各种花鸟图案。鸟儿异态,花儿异姿。鸟儿或相对传情,或枝头跳跃,或引颈鸣啼;花儿或含苞欲放,或蓓蕾初绽,或花蕊显露。刻工精美,巧夺天工。窗外,松竹滴翠,鸟儿歌唱。雕凿的树木花草与春天的鸟语花香融为一体,难分难辨。

万州石刻《西山碑》

路　峰

> 庭坚蒙恩东归，道出南浦，太守高仲本置酒西山，实与其从事谭处道，俱来西山者。盖郡西渡大壑，稍陟山半，竹柏荟翳之门，水泉潴为大湖，亭榭环之。有僧舍五区，其都名名曰：勒、封、院、楼、观。重复出没烟霏之间，而光影在水。此邦之人，岁修禊事于此。凡夔州一道，东望巫峡，西尽郁鄢，林泉之胜，莫与南浦争长者也。寺僧文照喜事，作东西二堂于茂林修竹之间。仲本以为不奢不陋，冬燠而夏凉，宜于游观也。建中靖国元年二月辛酉，江西黄鲁直题。

建中靖国元年(1101)宋徽宗赵佶召黄庭坚回京，黄途经南浦(今万县)，应郡太守高仲本邀请，到西山游览，兴之所至，走笔成书，写了这篇《西山记》。同年，县人将它镌刻于南浦西山上石的一幅摩崖，高 1 米，宽 2.6 米，字径约 0.1 米，书为行楷。清光绪年间建亭修楼，以为保护。

黄庭坚书法，肉丰而苍劲，态浓而意淡，他长于大撇大捺，长横长竖，善用欹侧之势。清咸丰年间，长沙府解元冯卓怀任万县知县时，拓摹一本送其座师曾国藩观赏，曾给了“海内存世，黄书第一”的评语。从此《西山碑》被人看重。宜宾吊黄楼曾摹拓后复刻一本，白岩书院复制上石两本，沙河子杨家花园也复刻了一本。历经多年沧桑，复制本均佚，唯原刻仍存至今，给下川东留下一件艺术珍品。

乌尤寺尔雅台并非郭璞注《尔雅》处

杜长煋

《尔雅》是我国最早的一部字书。郭璞注过《尔雅》，却未到过四川。他注《尔雅》的尔雅台在湖北宜昌（古称夷陵）而不在乐山乌尤寺。南宋陆游《入蜀记》谈到他曾访问夷陵的尔雅台，说：“《图经》以为郭景纯（璞字景纯）注《尔雅》于此。”

乐山乌尤寺的尔雅台，实为纪念最早注释《尔雅》的西汉犍为郡学者郭舍人而修建的。郭舍人的《尔雅》注文现已失传，但后世引用他的注释颇多。他的身世，据唐陆德明《经典释文·叙录》载：“《尔雅》犍为郭文学注三卷，一云犍为文学卒史臣舍人，汉武帝时待诏。”据考证，所谓“文学卒史”是郡的属官，用本郡人充任；“待诏”是说被举荐入朝待诏候用；“舍人”是其名字，

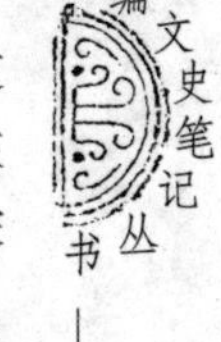

"臣舍人"是在君前的称谓。可见郭舍人是汉武帝时犍为郡人,初为本郡文学卒史,后以才学见征入朝为待诏。犍为郡设置于汉武帝建元六年(前135),辖十二县,其中的南安县即今乐山县。宋苏辙《初发嘉州》诗"移舟迁山阴,峭壁上无路。闻有古郭生,此地苦笺注",说的就是郭舍人注《尔雅》的乌尤山。传说明代以前尔雅台旧址,在今乌尤山上的旷怡亭。本世纪20年代,始在罗汉堂侧一隅之地,重建尔雅台屋宇,并立石碑。但当时疏于考证,竟然误刻为"晋郭璞注尔雅处",铸成大错。近代学者赵熙、黄侃等,对此作过考据,加以纠正。

龙头山书库

肖崇素

彝族口语,词汇丰富,组织细密,长于比兴,适宜作细腻抒情的描写和动人辩论。但它的文字却很不完整。一般缺点是字音较少定意,同音字过多,各地方言差异极大,读法不一致,常常是读一半,猜一半。因此,它的书籍写本不多,流传更少。纵然这样,过去彝族却仍然用古彝文记了不少东西,并注意加以保护。

"龙头山"又称"黄茅埂"(彝语为"琐洛"分界高山),在大木房中有石柜石橱,中间藏有不少用古彝文写成的手写本。相传这书是距今六十代前(彝胞纪年以三十年为一代,即约一千八百年前)笔阿苏拉吉(“笔摩阿苏拉吉”的尊称,相传是彝文的创始者)写下来存放在这里的,都用金包过、银包过。千余年来,皆设有专人看守,划有公地做看守人的养口。这人除负责看守书库外,每年要用一只白公鸡和一只羊来祭书库。平时不让人轻易进洞,常称看不得、去不得、看后必头痛、肚痛。又说龙头山的龙头触不得,触了回家必死。

这一部分书籍,若国内民族历史、文化研究单位能分出一部分力量加以剔别、分类、编目,我想倒是一件对民族文化有长远意义的工作。

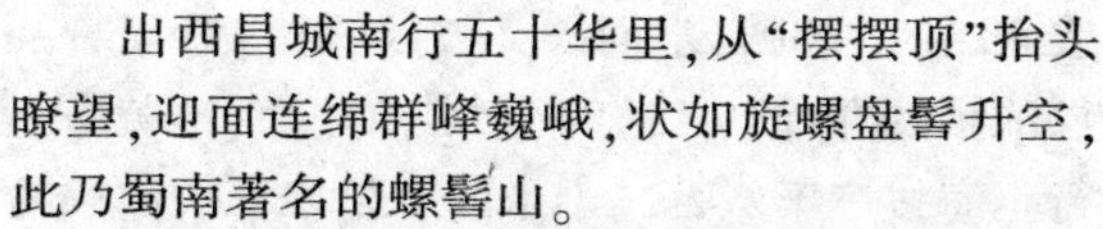

螺髻山上“十色海”

方　以

出西昌城南行五十华里,从“摆摆顶”抬头瞭望,迎面连绵群峰巍峨,状如旋螺盘髻升空,此乃蜀南著名的螺髻山。

螺髻山彝语叫“安波哈”,意即五百座山头,它海拔四千三百五十八米,周围八百四十公里。境内怪石嶙峋,峰峦交错;世所罕见的各样海子,星罗棋布,日月回光,像嵌在苍穹间的宝石,其中面积较大,颜色不同者计有六七个,一般誉为“天池”，号称“十色海”，传说是仙家沐浴的地方。

清末《西昌县志》记载，明进士马忠良的《游螺髻山记》写道：“螺髻山开，峨眉山闭。”其意是说：如果螺髻山开发出来，峨眉山风景将大大逊色，只好关闭了。据我所知：秀，仍推峨眉。不过，螺髻高峨眉一千余米，围大倍之，险峻过之，色海超之，确为峨眉所不及。抗战期间，有探幽采访者策马结队，自带粮食、帐篷上山，终因风雪阻路，没到达山之顶点，仅就六个色海作了报导。

黑海又名黑龙潭，海拔三千六百三十米，面积约五十亩，水呈黑色。岸边一石笋，高达150米，四周尽是杜鹃花林。在阳光照耀下，蓝天白云，红花黑水，石峰峭立，雾纱透明，甚似神话中的水晶宫殿。红海，海拔三千七百二十米，面积约二十多亩，水呈红色。边上长满杜鹃，枝叶伸罩两侧，犹如巨臂捧着一盆朱砂。黄海，顺红海东行十里许。黄连药味自十余亩宽的黄色海子袭来，沁人肺腑，水面静无波纹，好像凝固着一层浓浓的“酥油”。酱海，又名双陀海，沿黄海上行至海拔三千八百二十米的双陀峰下，面积约二十亩，水呈咖啡色。石林环绕，岸边长满洁白雪茶、稀有灵芝，双陀峰倒影映入水里，绮丽壮观。碧海，又叫拖木沟海，从酱海东行十里左右，面积约六十余亩，是山上最大的海子，色如碧玉，波光粼粼，冷气森森，团转密布参天云杉，靠东竟是刀切斧锯的万丈悬岩，使人感到不寒而栗！金海，再往东南行三五里便是水呈金红，面积约十来亩的金海子。它四周也是挺拔冲天的云杉，从石缝里流出一股焦茶般的泉水，漫过浅绿的草地，很像绸缎上绣起的一条金丝带。

除此六色海之外，在海拔三千七百二十米处，还有一道由大小七个水泽组成的长海子，万多亩的杜鹃花林。春秋两季，五彩缤纷，人在其中，真如置身花的世界……

唐朝南诏于半山建修螺髻寺，现仅存残垣瓦砾。太平天国石达开的先锋赖裕新所部，在废墟上曾安营扎寨。雄伟山势，各种色海，虽经历史沧桑，仍然未失旖旎风光。古寺遗址的塔式僧墓隐约可见的碑志刻曰：“胜境十八顶，二十五坪，十二佛洞，一百零八景……诚小西天也。”色海奇观，当年盛况，堪与峨眉媲美，施工开发，可望成为新的旅游胜地。

成都武担山

王秉文

武担山，又名武都山，位于成都北较场东南角，相传是蜀王开明妃之墓地。妃系绵竹武都人，神话中武都有一丈夫化为美女，蜀王(开明)纳以为妃，因不习水土，死于成都。死后，蜀王遣五力士往武都担土,为妃作冢。此冢占地数亩,高七丈,冢上置一圆形石镜,晶莹明澈。据专家考证,五担山之土,确与成都一般土质不同。其流传之故事,虽带神话,然此土阜,系外来之土,堆成墓地,应无疑问。只是历时过久,屡经侵削,山阜体积日小而已。汉代文学家扬雄在其《蜀都赋》里,曾有五担山的称述。到南北朝梁大同年间,曾被发掘,得玉石棺,中有美女如生,随即掩土建寺,名曰"武担山寺",曾一度成为名胜。五担山为长形,中凹而东西凸出,此二凸出之处名曰:东台、西台。唐、宋时,为游览胜地。历代诗人,写下不少作品。杜甫有诗说:"蜀王得此镜,送死至空山。"又说:"独有伤心石,埋轮月字间。"宋人陆游亦有"东台西台雪正晴"之句。到明朝万历年间,寺已不存在,石镜亦被毁去,惟土阜尚存,仍称武担山。

1935年,国民党中央陆军军官学校,设分校于成都北较场,其大操场之东面,紧邻武担山。"西安事变"时,分校当局为防意外,曾在武担山设防,建有一亭、一碉,作为观察、瞭望之用。

今之北较场侧,已建一招待所,武担山则范于此招待所东面,古迹保留,并已修葺一新,供来往宾客游览、休息。笔者曾到此山一游。此山虽在招待所之内,但另成一格,别有洞天。在进口处,设有一道拱门,门上安有石刻"武担山"三个大字。一进门,竖立着一块石碑,简介武担山事迹。由此绕小道上山(西台)。小道系阶梯式,直达山顶。山顶建有一亭，系仿古建筑，精巧美观。由西台到东台，有一道弧形通道。东台山顶，修有一塔。武担山的四周，筑有围墙，经过绿化，群芳竞艳，有四季如春之感，是当前成都市虽胜而未名的一块宝地。

峨眉山之“峨眉”

田　远

“蜀国多仙山，峨眉邈难匹”，这是唐代大诗人李白对峨眉山的赞誉。峨眉山以巍峨奇秀著称：叠叠群峦，高插云天；奇峰挺拔，绝壁万仞；瀑布垂挂如练，清泉流水淙淙；白云缥缈，雾卷烟飞；古树奇花，巧石异洞，珍兽鸣禽，处处引人入胜。所以，自古就有“峨眉天下秀”之说。

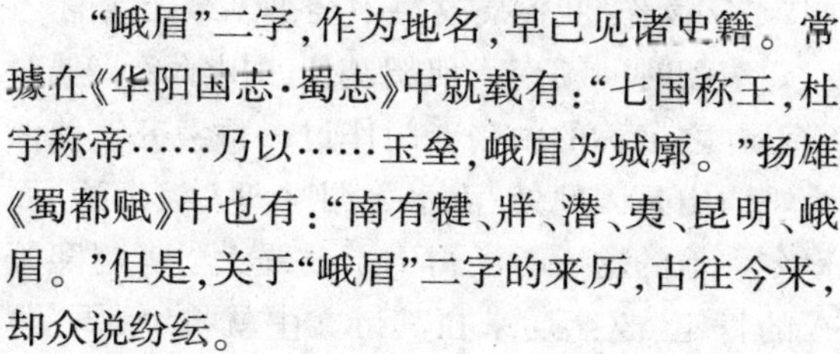

“峨眉”二字，作为地名，早已见诸史籍。常璩在《华阳国志·蜀志》中就载有：“七国称王，杜宇称帝……乃以……玉垒，峨眉为城廓。”扬雄《蜀都赋》中也有：“南有犍、牂、潜、夷、昆明、峨眉。”但是，关于“峨眉”二字的来历，古往今来，却众说纷纭。

梁朝李膺在《益州记》中说，“平羌江（即青衣江）东径峨眉山，在南安县界，去成都南千里。然秋日清澄，望见两山相峙，如峨眉焉”即是说峨眉山是以秀丽的峰峦，随着主峰迤逦不断，像疏淡的长眉而得名的。后代的方志大都引用此说。特别是《犍为郡志》,更以浓墨重彩将“峨眉”二字加以描绘和阐述:“此山云鬟凝翠，鬒黛遥妆,真如螓首峨眉,细而长美而艳也。”

南北朝时,宗教发达,也藉“峨眉”之名而特意加以发挥。梁朝著名和尚慧皎在他撰写的《高僧传》中说:观音大士叫他的弟子善财去看望他的挚友德云和尚。当善财登上妙高峰时,便见白云簇拥着一座高山,迤逦如黛,宛如一钩新月,酷似峨眉。故后来称此山为峨眉山。

西晋著名文学家张华在《博物志》中称峨眉山为牙门山,说“峨眉”是“牙门”二字语言之转变。据他说:当时羌人的语言,“牙门”说是“我们”,把峨眉山称为“牙门山”,意即“我们的山”。考查诸史籍,在峨眉山周围,沿着大渡河、青衣江两岸的二台地上,历史上确曾聚居着羌族。有人还认为至今峨眉山的地方语言中，仍将“峨眉”二字读作“我们”,这决不会是无缘无故的。

清朝时，湖南人何绍基任四川学政，他对“峨眉”之名称的由来专门作过一番考究。他认为峨眉山是因地处“涐水之湄”(即大渡河边)而得名。他的这一看法得到了巴蜀大学者赵熙等人的肯定,赵熙后来在其诗文中就将“峨眉”写作“涐湄”了。

清朝嘉庆时所修《峨眉山志》中,还载有金隽写的“峨以名言,眉以形言,聚秀凝姿,标英焕彩,非眉弗彰……”。金隽这段话的大意是:峨是状其高,眉是美其秀。峨眉山以其秀美体现她的独特风姿,如果不用峨眉之眉来形容,那是无法表达峨眉山美的特色的。

以上诸说,概括起来,或是以形,或是以神,或是形神皆顾,或是按民族语音,或是按地理位置去解释“峨眉”二字的来历。其共同的特点是从不同角度对祖国的壮丽山河,表达了由衷的热爱和赞许。

内江“甜城”之誉称

邹作圣

抗战爆发后,成渝成为大后方重镇,内江恰在两大城市中点。彼时汽车运输,从成都或重庆出发对驶,至内江均为一日行程。故往来成渝者,均在内江客宿,内江交通路上餐旅业随之兴起。内江特产蜜饯,销售蜜饯的冰桔铺,也纷纷从原来的东坝街迁来交通路,以招徕顾客,一时生意兴盛。这些冰桔铺除了在蜜饯制作上精益求精,提高产品质量外,又特别在销售服务上力求改进。店堂设有客座,顾客入店,店员热情相迎入座,奉茶,然后将各色小锅蜜饯切成小片,让顾客品尝,随意选购。即使不买,仍热情礼送出店,并征求改进意见。内江蜜饯,久负盛名,历年在成都花会时期举办的四川物产竞赛会获

奖。名产与优质服务相结合,旅客便给内江赠送了一个“甜城”的美称。1947年,四川省主席邓锡侯给获奖的内江复兴铨蜜饯题词亦用“甜城名产”称之。“甜城”成为内江的别称,载入《辞海》。

三驿、六铺、八场

彭伯通

评书艺人言:昔自重庆沿东大路官道至成都,经巴县、璧山、永川、大足、荣昌、隆昌、内江、资中、资阳、简阳、华阳等十一县境,用三驿、六铺、八场可以概括全程。三驿为巴县白市驿、隆昌双凤驿、简阳龙泉驿。六铺为大足邮亭铺、荣昌峰高铺、资中莲池铺、简阳石盘铺、大面铺、华阳鸿门铺。八场为巴县永兴场、函谷场、璧山狮子场、永川大安场、资中高楼场、球溪场、资阳合兴场、简阳贾家场。

照此路线,即由重庆浮图关西行,依次经永兴场、函谷场、白市驿、狮子场、大安场、邮亭铺、峰高铺、双凤驿、莲池铺、高楼场、球溪场、石盘铺、龙泉驿、大面铺、鸿门铺抵省城。然而实际路线则由浮图关西行,经石桥铺、上桥、白市驿、走马岗,过老关口入璧山界,经来凤驿、丁家坳、马坊,入永川界,经大安场、县城、双石桥,入大足界,经邮亭铺,入荣昌界峰高铺……

每天乘“滑杆”(或步行)以八十华里计算，由渝至蓉，差不多要走十三天左右，宿地一般叫“站”。评书艺人将沿途十五个驿、铺、场编成顺口溜，在没有路程图印行的时代，起到了导游“旅行指南”的作用。

五粮液今昔

丹　禾

在 1916 年的巴拿马国际博览会上，一种包装简陋的中国白酒——“叙府杂粮酒”，竟一举夺得食品金奖。当时的北京政府特颁发奖状以资奖励，鲜为人知的四川小城宜宾成为名声大噪的中国酒乡。

宜宾地处古僰道，岷江和金沙江在这里交汇，得天时地利之便，酿酒历史源远流长，可上溯到两三千年前的古“僰侯国”时期。唐宋之际更是名酒迭出。诗圣杜甫到戎州(今宜宾)刺史处作客时，曾陶醉于“重碧酒”之中，而“情忘发兴奇”。北宋元符年间被贬谪到此的诗人黄庭坚,除留诗推崇“戎州第一”佳酿“荔枝绿”之外,还特别写了一首《安乐泉颂》,称赞“姚子雪曲”的色香味和它那祛风通痹的医疗作用:“姚子雪曲,杯色争玉。得汤郁郁,白云生谷。清而不薄,厚而不浊,甘而不哕,辛而不螫。老夫手风,须此神药。眼花作颂,颠倒淡墨。”

到了明朝初年,流落于此的一个姓陈的前朝宫庭酿酒师,见此地物丰泉醴,民风淳厚,其山形地势又恰如一个天然的酿酒大甑,决定在这里一展技艺,安身立命,创办了“温德丰”糟房。陈氏吸收了当地的酿酒传统,结合自己的技艺,进行大胆改革。经过长期实践和探索,创造了独特的酿酒工艺和配方——“陈氏秘方”,酿出了胜绝诸家的“杂粮酒”。这个秘方的内容,后来被人们概括为这样三句话:“荞子半成黍成半,大米糯米各两成,川南红粮用四成。”陈氏为避免这个秘方流传他人,规定此方不立文字,全凭口传心授,世代单传其子,不传其女。到了清同治八年(1869),“温德丰”第六代传人陈三膝下无子,又不忍秘方失传,毅然违背训条,在自感沉疴之时,将秘方传授给了爱徒赵铭盛。赵改“温德丰”为“利川永”,全力恢宏师业,成为宜宾酒业魁首。1915年,赵又丁病逝前,将秘方和“利川永”糟房交给了爱徒邓子均。邓发扬光大了师业,在一年后的国际博览会上夺得了金奖。此后,邓又不断总结经验,调整配方,减荞子、黍麦

同量,直到用小麦代替了荞子,把配方重新确定下来。

1929年,在一次地方绅士的宴会上,邓子均拿出用新配方配制的杂粮酒请人们品尝,博得了众口称赞。但又一致认为酒虽极品,名却不雅。在座的前清举人杨惠泉开言说:“此酒集五粮之精华而成,何不名之为‘五粮液’?”,从此,“五粮液”之名开始问世。1932年,邓子均申请以此名注册,制作商标。

中华人民共和国成立以后,在宜宾最有名的两家糟坊“利川永”、“长发升”联营的基础上,组建了“宜宾酒厂”(1957年更名为“宜宾五粮液酒厂”),扩大了生产能力。邓子均献出了秘方,并出任酒厂的技术指导。今天,五粮液酒厂几经扩建,使传统工艺与现代科技融为一体,不仅酒的产量大幅度提高,年产达三四千吨,酒的质量也更趋完美,达到了“香气悠久,酒味醇厚,入口甘美,入喉净爽,各味谐调”的独特效果,在历次国内外的酒类评比中屡获金奖。

回味泸州老窖

石　川

泸州,是中国名酒“泸州老窖”的故乡,享有“江阳尽道多佳酿”的美誉。据《泸州志·食货志》

记载："清末白烧糟户六百余家，出品运销永宁及黔边各地。……大曲糟户六十余家，窖老者尤清冽，以温永盛、天成生著名，运销东北一带及省外。"从清初开创发展到清末，已是远近闻名的酒城。

清同治十二年(1873)，张之洞任四川学政使，赴各州府主持岁考，沿途观赏，饮酒吟诗。是年秋高气爽，丹桂飘香之时来到泸县，派出侍役辨"招"沽酒。当他举杯入口，顿觉馨醇浓郁，清洌甘爽，连连自酌自语："好酒！好酒！"叫来侍役询问："此酒何处买来？"侍役答道："回禀大人，我跑遍全城，访得城外营沟头的酒最好。经过南门外在弯弯头、倒拐拐、巷尾尾，最后那一家。"张之洞拍手赞叹："酒好不怕巷子深！"随即又问店家何名，答曰"温永盛"。从此，他一日数餐，指定深巷沽酒，美名就不胫而走。

提起"温永盛老窖"，不仅国内有名，在世界各国也大大有名！那是1915年在美国旧金山举行的巴拿马太平洋博览会，夺得金奖、号称"泸州第一"的正是温永盛大曲。消息传到国内，《申报》、《大公报》、《东方杂志》等都以显著地位刊登这一获殊荣的消息。1916年4月，春暖花开，群莺乱飞，喜讯传回酒城，泸州沸腾了，连日狂欢了，大红对联上写着："温家酒窖三百年，泸州大曲天下传。"

剑南无酒不成春

丹　禾

“绵竹有泉皆化酒，剑南无酒不成春。”这是一副赞美绵竹美酒的民间楹联，描绘出酒业的兴盛和酒的甘醇。

绵竹盛产美酒，古时就已闻名。绵竹县地处川西平原边缘，岷江上游，境内河渠纵横，平畴沃野。又有林壑森然，飞瀑流泉，享山川之利。

唐代置剑南道，绵竹属之。唐人称酒多以“春”名，酒名亦有诗的雅致。“剑南烧春”当时名冠天下，为唐代五大名酒之一。

南宋时，抗金名将、绵竹人张浚任川陕宣抚使，允许民间纳钱酿酒。因此酒税大增，充实了极度匮乏的抗金军费，也促进了绵竹民间酿酒业的发达。

清初外地人大量迁来四川，也带来诸种酿酒工艺。康熙时，陕西人朱煜到绵竹创“天益坊”，相继又有陕人杨、白、赵三家酒坊开业。据传他们尽得山西杏花村酿酒秘诀，采用大曲酿酒之法，酿出“剑南春”的前身——绵竹大曲。

现在的“剑南春”既有浓香型酒“窖香浓郁”之特色，又“微带酱香”，风格特异，在全国诸名酒中独领风骚。这与陕人所传的杏花村酿酒秘诀不无关系，可说是南北酿酒工艺的璀璨结晶。

自清代以来，绵竹酒业日盛，酒坊蜂起，种类繁多。除大曲外，还有口味香甜的“老酒”。俗称“醒色酒”的小曲更因物美价廉，异军突起，保留了传统的“剑南烧春”特点，并亦以“春”名之，称为“第一春”、“一壶春”、“玉缸春”、“大江春”、“瓮头春”、“太平春”等。绵竹酒业，如星河灿烂。无怪一民间诗人行吟至此，吟出“百里闻香绵竹酒，天下何人不识君”之句。

“剑南春”，雅致而富有诗意。此名为蜀中著名诗人、学者庞石帚先生所题。庞先生执教四川大学，一日与友人小聚，畅饮绵竹酒厂所产上品“混料轩”。酒酣耳热，才思勃发，认为“混料轩”名称不雅，挥毫题曰“剑南春”，从此不胫而走，盛名不衰。

郎酒老糟

吉 零

郎酒故乡在四川古蔺县二郎镇，它与贵州茅台镇隔赤水河相望，一北一南，可谓同享一江佳液。

相传古时候，赤水河北岸有个羊倌李二郎，爱上了南岸的赤妹子，但要与她成亲，需有一百坛美酒作彩礼。二郎放下羊鞭开始寻找酿酒的泉水。他吃尽了苦,始终未能如意,但仍不气馁。他的精神感动了龙王三太子。三太子为二郎打了一口井,二郎便用这清澈透明的泉水酿酒。但酿出的酒不香,味也不美。一天,有位颤巍老人来到泉边要酒喝,一喝就醉,还把喝下的酒吐在泉水里。清晨,老人走了,而那口井水却变成一泓琼浆。后人为纪念李二郎,把井所在地称为二郎滩,把泉叫做郎泉,用郎泉酿出的酒命名为"郎酒"。

据史料记载,这一带土著居民在宋代就开始酿酒,史称"风曲法酒",明代便有了较成熟的酿酒工艺——"回沙工艺"。1907年,二郎镇"惠川糟坊"的邓惠川学到了茅台酒的回沙工艺,自己又在酒曲中加入多种草药,酿出"开坛喷香,入口呈酱"的"回沙郎酒"。并采用距二郎镇十余里的夏陶村之土,烧制出朱墨色的陶罐作为酒的包装,用软木塞住瓶口,再以猪小肠封闭,系以红绳。瓶身标有糟坊名称和高粱、麦穗图记,题有:"窖久泉甘,工艺特殊,风格别具,饮后使人脉通血和,不致口渴头疼,是宴会珍品。"回沙郎酒行销省内外,远及东南亚,为地小而偏僻的二郎镇赢得了声誉。

1933年,雷绍清等生意人合股办了"集义新糟坊",以高薪聘请"成义糟坊"(茅台镇较早的酒坊)的郑银安为总技师,"惠川"的莫绍成为总酒师,酿出一种溶惠川、茅台风味为一体的,既有焦香、酯香、醇香,又略带浓香的酱香酒,命名

为“郎酒”。包装与回沙郎酒一样。为突出“郎酒”二字，把麦穗、高粱组成的图案配在名字的两边作图记，还作“取二郎滩优质官井泉水，优质本地高粱、小麦作原料”的文字说明。这就是现在郎酒的前身。

中国名酒赞全兴

木　弓

成都全兴大曲以“窖香浓郁，醇和协调，绵甜甘洌，落口净爽”的风味，荣列中国“八大名酒”之一。由于产自都市，人们誉之为“酒中贵族”。

全兴大曲历史悠久。在宋代，成都东门外濯锦江畔就酿出了“锦江春”名酒。“锦江春”为全兴大曲的前身。

清乾隆五十一年(1786)，有王氏兄弟在成都东门外水井街大佛寺旁开创新酒业，取名“福升全”，酿出了“薛涛酒”。一位叫冯家吉的文人在《薛涛酒》诗中咏道：“枇杷深处旧藏春，井水留香不染尘。到底美人颜色好，造成佳酿最熏人。”

随着岁月流逝，“福升全”的事业发展了。1824年在城内署袜街选定地址，建立新号。为求吉祥，将“福升全”更名为“全兴成”，以象征其事

业绵延不断，兴旺发达。“全兴成”选址建号于署袜街，是因为街内有一眼明代凿成的优质好井，是酿酒的佳泉。又博采成都众酒之长，对“薛涛酒”进行加工改造，创制出的新酿，统称“全兴酒”。

到50年代初，“全兴成” 和花果酒厂合并，成立了成都酒厂，开始培植“全兴大曲”这朵名酒之花。1963年首次获得“中国名酒”金奖。

全兴大曲初创时期，就以清醇甘冽，激荡了许多名扬四海的名人和才子的豪迈情怀，酿出了多少神妙的诗章和佳话。抗战时期，冯玉祥将军在成都三洞桥带江草堂与熊克武等蜀中名达共饮全兴酒时，曾多次竖起拇指，连声赞叹：“好酒！好酒！”1959年，郭沫若回到成都，来到带江草堂。全兴酒的神妙催发了他的豪兴，赋诗誉之为“延龄酒”：“三洞桥边春水生，带江草堂百花明。烹鱼斟满延龄酒，共祝东风万里程。”这些衷心的赞叹，表达了名人雅士对“酒中贵族”全兴大曲的喜爱。

酴醾传香说郫筒

屈小强

四川郫县郫筒镇(今郫县城关)内有两口怪井，一方一圆，水清甘冽，皆座落在郫筒池的水池间。且此井汲水，便波及彼井水动。明人曹学佺，因之称奇，曰“鸳鸯井”。又据曹学佺《蜀中名胜记》：“井畔产巨竹，刳为筒，汲水而酿，包以蕉叶，缠以藕丝，信宿香达于外。”这样，郫筒镇便靠着鸳鸯井和大竹筒——郫筒，这两件一方尤物，酿制出名噪千载的郫筒酒（至今还是川菜，特别是川味鱼烹调中，不可或缺的名料酒）来。

唐代宗广德二年（764）三月，杜甫从阆州（今阆中县）返成都途中作过一篇《将赴成都草堂途中有作先寄严郑公五首》。其一有云：“鱼知丙穴由来美，酒忆郫筒不用沽。”诗人想着又能和好友严武共食丙穴鱼，同饮郫筒酒，不禁喜上心头。南宋时，做过四川制置使的诗人范成大，亦留下有“草草郫筒中酒处，不知身已在彭州”的诗句。而今四川著名美食家车辐也夸耀说：“我们四川郫县郫筒酒厂出了一种‘甜黄酒’，不亚于绍兴加饭酒。”他指的这种“甜黄酒”，其实就是郫筒镇传统的“桂花陈酿”。这种桂花酒，苏东坡在谪居惠州时曾酿过。据林语堂考，其“酒精含量不多”，“有点像微酸的淡色啤酒”。苏东坡在杭州太守任上时，对朋友感慨道：“可恨蜀山君未见，他年携手醉郫筒。”所以，他后来虽在数千里外的岭南，也要自己动手酿制以解馋。雍正十二年（1734）秋至十三年春，清康熙帝第十七子果毅亲王护送六世达赖喇嘛还藏途中路过郫筒镇，忆起古时与此相关的风流韵事，不由得飞毫写下“酴醿传香”四个大字。

醹醲酒即重酿酒。据成书于六世纪中叶的《齐民要术》记,此工艺乃蜀人首创。郫县人大概在此基础上改大坛密封为竹筒密封。《华阳国志·蜀志》则说:蜀王移治郫邑(今郫县城北二里)后的九世开明帝“始立宗庙,以酒曰醴”。这是指蜀国开始仿效西周礼乐制度立宗庙,祭醇酒,时间大约在公元前四百年前后。当然,开明九世帝在蜀宫中酿的是否就是郫筒酒,仍不甚了了。不过可以肯定,起码在唐代,郫县人就已经在用竹筒酿郫筒酒了。这从前引杜诗可以得到证明。

今天的郫筒酒采用了现代新技术,其传统的竹筒清香非但未有减退,反而更悠长可人了。

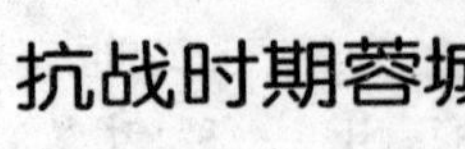

抗战时期蓉城食道漫步

巴 城 谢泰强

蓉城筵席讲究“头子”,据以定其档次。所谓“头子”,就是冷碟上席后的第一道大菜。比如“鱼翅头子”、“海参头子”、“鱿鱼头子”等等即是。在抗战时期,大量人口潮水般涌向锦官城,饮食业生意兴隆。鱼翅席大约要二十个银元一桌,海参席大约要十五个银元一桌,鱿鱼席大约要十个银元一桌。一般百姓不敢问津,而官绅豪商不在话下。冷碟随“头子”不同,有六碟、九碟、十二碟之分;席间上“点心”甜咸,有一道、二道、三道之别。“头子”之外属“正菜”,也随“档次”差异。成都当时餐馆的“四大金刚”,一般指“姑姑筵”、“荣乐园”、“荐芳园”、“颐之时”,其余像“哥哥传”、“静宁饭店”、“青年食堂”、“虎幄”等也极负盛名。

各名餐馆都有自己的“拿手菜”,是大师傅独据秘方。如荣乐园的“米熏鸡”、“牙参汤”、“樟茶鸭”,任何馆子都赶不上;加以能说会道,滑稽风趣的招待“萧胖子”,穿梭应酬,气氛活跃。姑姑筵的“坛子肉”,传闻一坛值“一封”银子,一封白银合七十两,折一百个银元之谱,其价不谓不昂了。颐之时的“烧牛头”、“豆豉鱼”、“开水笋尖”等别具一格。荐芳园的“竹荪肝膏汤”(或鸽蛋肝膏汤),味美绝伦,无不食后“三喷”!豆渣,仅府河岸边搭“篾芭折”棚棚的贫民,才喜从豆腐店买来作菜。殊知,青年食堂的“豆渣鸭子”,公然以名菜登上筵席,食客常誉豆渣而不及鸭,若没主人介绍还不知是何珍馐。静宁饭店的“胡琴皮子”、“炸斑指”,名称就怪。实际上胡琴皮子乃“北京烤鸭”吃法,却因川鸭体小肉薄,片出的如“胡琴皮子”,酥脆香浓,与京鸭异趣;斑指,借古时射箭时指头戴的玉石套之名,用猪“肚头”切成五分长一节节,在火红油锅跑过,色白如玉,鲜嫩非凡,蘸甜酱拌葱白,进口“舒展”之至。此味应是天上有,人间哪能不垂涎?

“头子”高了,味道美了,餐具档次低了岂不

大煞"风景"？比如鱼翅席，有的用"康熙磁"，全堂青花。海参席，有的用乾隆磁，一派金黄。等而下之则为光绪或景德镇磁。牙骨筷、乌木筷、狮竹筷等均听令列队……

白酒，多为泸州、绵竹大曲；黄酒，多为重庆"允丰正"，少有"花雕"，不饮洋酒。

餐馆除"姑姑筵"不允"拈花弄草"外，什么"红楼二尤"、"宝宝香君"、"一枝桃"、"一枝春"等等，莺声燕语，"各领风骚"。抗战时期，"前方吃紧，后方紧吃"。国难深重，岂其然乎！

"努力餐，精且廉"

吉　零

成都名馆"努力餐"，现位于风光秀丽的人民公园左侧。其饭馆开办于 1931 年，由中共川西特委委员车耀先在三桥南街创办，不久迁至祠堂街。车耀先在店堂上题了"要解决吃饭问题，努力，努力；论实行民生主义，庶几，庶几"的对联。努力餐作为党的地下联络站，先后接待过邹韬奋、沈钧儒、沙千里、史良、章乃器等爱国民主人士。同时还创办《大声周刊》，编辑部就设在饭馆楼下的一间屋里。其刊存在时间不长，但所刊载的文章和诗歌影响却不小，如"大声呼救亡，应变为图存，努力加餐饭，不忘先烈魂"等在当时引起了很大反响。

努力餐馆在创办之初，就以经营大众化饭菜为方向，聘请曾为护国滇军将领做饭的名厨何金鳌任主厨。他善于把四川名菜大众化，无论大菜小菜皆能一菜一格，做工精细，所以很快使努力餐形成了自己的独特风格。为了更好地经营，取信于顾客，车耀先在店堂里贴上了“如果我的菜不好，请君向我说。如果我的菜好，请君向君的朋友说”的告白，以广招徕。至今努力餐还将这个告白印在筷子套上。

在努力餐经营的菜谱中，“革命饭”销售最快，当时在群众中盛传“要吃革命饭，请到努力餐”。革命饭是大众化饭菜中的一种，一碗革命饭三四两，掺有碎肉、豆子、嫩笋和咸菜等，一起蒸在蒸笼里，吃时拿出又热又香，而且便宜，因此很受群众的欢迎。每年的成都花会，努力餐都要到青羊宫设分店供应革命饭。车耀先还作歌词“花会场，二仙庵，正中路，树林边；机器面，味道鲜，革命饭，努力餐”作为广告。一次一群特务闯进努力餐逼问为什么要称“革命饭”。车答：“有啥子稀奇的，孙中山先生说‘革命尚未成功，同志仍须努力’嘛！”特务无话可说。努力餐还有一种大众面食，叫“大肉蒸饺”。其皮薄肉多，只用铜元一枚便可买到。还配一碗三鲜清汤。但这是专门照顾拉黄包车等干力气活的穷人。至于无职业、无收入的学生可以到“庶几”分店去，其铺面很小，以经营面食为主。菜种虽不多，但极

精廉,如“红烧帽结”(猪小肠),既是下面条的好菜,又是下酒的佳肴。努力餐最驰名的菜要算“烧什景”,它以猪心、舌、肚、脊髓、鸡块、金钩、海参、蹄筋、玉兰等十余种作原辅料,刀工细致,片、丝、块等都有,精心烧制,色泽乳黄,味道鲜美,汤浓而不腻,炽软可口,老少皆宜。这道菜享誉全川,时人赞曰:“烧什锦,名满川,味道好,努力餐。”后来车耀先将其改写为“烧什景,名满川,努力餐,精且廉”,做成横匾,刻上注音符号悬挂于店堂门口。

1929 年车耀先曾写出“喜见东方瑞气升,不问收获问耕耘,愿以我血献后土,换得神州永太平”的自誓诗。车耀先烈士的夙愿已经实现,他所投身的事业正蒸蒸日上。

川筵

安山

唐宋以来川菜就已脍炙人口,但清咸丰十一年(1861)成都尚没有一个正规的包席馆子。尔后,满族人关正兴在成都棉花街开办第一个包席馆“正兴园”,但只承包上层人物享用的“满汉全席”和一般高等宴席。光绪三十一年(1905),北方人贺伦夔任四川警察总监时,常在正兴园喜用北方味宴客,他喜大油好美器,人称

“贺大油”。1909年的《成都通览》载：“席面之讲究者，只官正兴园一处。……其瓷盘瓷碗，古色斑驳，菜亦讲究，汤味甚佳，所谓排场好而派头高也。”可见当时的正兴园以器美菜好而闻名。后来，浙江人周善培继任警察总监。他亦是个“食不厌精，脍不厌细”的美食家。他的特点是求出新，常以扬帮菜味与川菜、川味相结合，烹制出“茄皮鳝鱼”、“芋头圆子”等菜品。还用新津县牧马山的大灯笼海椒，挖空瓤子，内填鲜虾，再掺入绍兴黄酒，使江浙菜略带四川辣味，达到“解酲未减黄柑美，隽味能欺紫蟹香”的美誉。

1911年正兴园歇业，同年蓝光鉴等名厨在成都湖广馆街，开了被誉为川味正宗的荣乐园。蓝光鉴十三岁入正兴园至歇业。荣乐园创办后他主持厨务，不仅继承和发展了正兴园烹饪技艺，而且博采寺庙、街头巷尾的小吃(如麻辣鸡、兔、牛肉、钵钵肉等等)之长，凡有可取兼收并罗，再自己消化提炼，遂创出野鸡红、开水白菜、咖喱鸡、烧牛头、麻辣牛筋、乌龟蛋等多种名菜，丰富了川菜席桌。他对满汉全席的礼仪、程式、席桌格局等一套不成文的严格规矩，又进行了简化。特别是席桌格局，过去满汉全席多选山珍海味，多至二百余道菜品，如讲究瓜杏手碟、四对镶、四朝摆、四蜜碗、四蜜饯、四热碟、八中碟、八大菜、四红、四白、中点、席点、茶点等十分复杂而又繁琐，价格昂贵，很不利于川菜膳食走进寻常百姓家。蓝对此简化为碟子、大菜、席点、小

吃、水果，这种川菜席桌新格局流行民间，一直沿用至今。

川菜筵席上菜时，先上冷碟、热碟，可荤可素，一般是佐酒菜，通常是“四冷四热”。这种格局多用于冬季席桌。上菜时盘子不能高过客人的肩头，更不能从头上过。如果是全鸡、全鸭或全鱼，则其尾不能对着上座。四冷四热碟上完，便可斟酒。酒不要斟满，俗话说“七茶八酒”。酒从人的右方斟，应右手提壶左手抱住右手，以示尊敬。如果有客人不会喝酒，则应左手盖住杯口，站起来说“不会，不会”以示歉意。酒斟完了，主人拿起筷子说“请菜”，便可开吃。拈菜时不要翻，更不能再放下，拈靠近自己的一边。每上一道新菜，都要等主人说“大家一起请”，方可动手。俟参席者都拈过后，才可随便拈。主人要为客人“奉菜”，客人则需将所拈菜吃完，否则将有不敬之嫌。

酒过数巡，便可上大菜。大菜又称热菜、正菜、行菜，视席桌的等级可安排八道不同味道的菜。最好要有一道是时令蔬菜，以体现季节性。大菜中第一道菜称为“头菜”，好的头菜可增添桌上的气氛，因此，要十分讲究。大菜之后就是尾汤，汤菜是川菜的一大特色，有时可做头菜，所以马虎不得。尾汤是筵席的终结。这时主人要端起自己的杯子饮完余酒，说“大家慢喝”，即可舀饭。舀齐后主人说“请饭”，大家方吃饭。吃饭时不能倒菜汤。笑话有言：“贼怕拿赃，菜怕倒汤。”吃完要双手横拿筷子说声“大家慢吃”，才可离开。如果吃到最后一个则应答：“抱歉，我背桌了。”主人说：“哪里，还有我呢。你慢吃，吃饱。”至于小吃、小点或羹汤则要插于大菜之中，饭完后还可上水果，以解腻闷。

川菜席桌，讲究时令、色彩、味别等。一般人们喜欢热天清淡，冷天浓厚。如汤菜，热天宜多用清汤，冷天则多用奶汤。冬季还可安排一些滋补汤菜，如白果炖鸡、虫草鸭子等。色彩也是这样，冬浓夏淡，适当穿插，相得益彰。川菜是咸、甜、麻、辣、酸五味的复合体，有主有次地调制出“一菜一格，百菜百味”，才算正宗菜，只有这样充分体现其特点，才能使食者真正享受到四川菜独有的风格。

成都“怪味”传闻

廖上柯

20年代后期，成都市场上推出一种凉拌菜新品种“怪味鸡”、“怪味兔”，以至后来的怪味胡豆、怪味什么的，把凉拌菜推向高潮。要说这是川味一次革命，也不算是夸张。

“怪昧”的由来是这样的：据说当时成都南门大桥上首河边，有一家颇有名气的枕江楼餐馆。主持凉菜案子的是一位姓傅的老厨师，由于视力不好,人们称他傅瞎子。一天,顾客要了一份凉拌鸡丝。送上桌后,顾客质问他这是什么味,要他说清楚。经他一尝,才猛然想起:是他眼睛不对,误把白糖当作食盐,故只酸辣无味。他说:是,味淡了点儿,再加点味就成了嘛。经他加入食盐后,酸、甜、麻、辣,互相渗透激荡,口感浓烈,直促馋涎。顾客问他:“这叫什么菜?”傅应曰:“怪味鸡。”于是“怪味鸡”不胫而走,传遍成都,并扩展到怪味兔、怪味肉丝、怪味……成为具有特殊风味的成都名食。

成都“夫妻肺片”

田　远

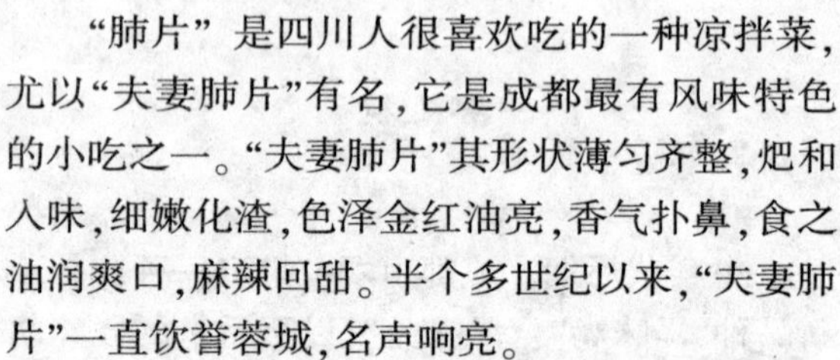

“肺片”是四川人很喜欢吃的一种凉拌菜,尤以“夫妻肺片”有名,它是成都最有风味特色的小吃之一。“夫妻肺片”其形状薄匀齐整,粑和入味,细嫩化渣,色泽金红油亮,香气扑鼻,食之油润爽口,麻辣回甜。半个多世纪以来,“夫妻肺片”一直饮誉蓉城,名声响亮。

人们虽爱吃“肺片”,却一直没有弄清楚“肺片”这个名称的由来。因为“肺片”的主料并非牛肺,它实际上是一种经过精制并加以调料的“凉拌牛肉”。既无牛肺,又为何要称为“肺片”呢?人们对此的说法各异。有人认为“肺片”之“肺”当为“荟片”之“荟”。“夫妻肺片”的创始人郭朝华曾解释过“肺片”这一名称的由来。六十年前，郭朝华夫妻二人推着货车沿街叫卖。因他们起始卖的原是些用牛肉、牛心、牛舌、牛肚和牛头皮等切成片杂荟在一起的，故人们管它叫“荟片”。他们的“荟片”调制得法，香味浓郁，而“荟”和“肺”的音相近，便有好事的学生用硬纸板写了“夫妻肺片”四个字，挂在他们的推销车上。抗战时期，在“安乐寺”设店，“肺片”之名也就很快传开了。

又有人认为“肺片”之“肺”应为“废片”之“废”。四川著名作家李劼人先生在《大波》一书中曾对“肺片”进行过考辨，认为“肺”为“废”字之讹音，肺片即牛杂碎，即废片。他说：“这种用五香卤水煮好，又用熟油辣汁和调料拌得红彤彤的牛脑壳皮，每片有半个巴掌大，薄得像角灯片，半透明的胶质体也很像；吃在口里，又辣，又麻，又香，又有味，不用说了，而且咬得脆砰砰地极为有趣。这是成都皇城坝回民特制的一种有名小吃，正经名叫盆盆肉，浑名叫两头望，后世易称为牛肺片的便是。”“大概在1920年前后，牛脑壳皮内和入牛杂碎；其后，几乎以牛杂碎为主，故易称此谓。疑肺片为废片之讹。”

还有人认为“肺片”之“肺”应为“柹片”之“柹”。他们根据肺片最早是缘起于薄而半透明的牛脑壳皮，从古文字的音义方面进行考证，认为人们正是根据柹片原料薄皮状的特征而给它

命名为“柿片”，后来才讹为“肺片”的。《说文解字》载：“柿，削木朴也，陈楚谓之札柿。”外是木皮，则柿亦为木皮，只不过“柿”为伐木所砍之皮，其体既轻且薄而已。《颜氏家训》说：柿，“史家假借为肝肺字”。《汉书·田蚡传》有“蚡以肺附为相”之句，颜师古注曰：“(肺)斫木札也，喻其轻薄附箸大材。”可知在古书中“柿”字是写作“肺”字的，那么把“柿片”一词写作“肺片”，也就不足为怪了。

成都“夫妻肺片”本已很有名气，而关于“肺片”之名称由来的探讨和争论，使这种颇具巴蜀风味的小吃具有了更强烈的吸引力。“肺片”因何得名？恐怕是可以列入“巴蜀之谜”的。

“鱼知丙穴由来美”

姚　枫

雅鱼，学名齐口裂腹鱼，又称嘉鱼、丙穴鱼、拙鱼。由其烹制出的菜肴，不仅味道鲜美，而且营养丰富，具有滋补功能，慈禧太后也曾为之倾倒。《雅州府志》载：雅州举子李景福送慈禧一尾雅鱼，慈禧吃后，盛赞此鱼鲜美，于是厚赏李景福。

雅鱼体形如柳叶，腹圆呈银白色，背深灰盖瓦，鳍尾微红，唇厚头滑，头部有酷似“丙”字的嫩黄色纹络。西晋左思的《蜀都赋》中有“嘉鱼出于丙穴”之句。而唐代虞世南的《北堂书钞》则有较详细的记述,“嘉鱼生于丙穴, 蜀人谓之拙鱼,从石孔随泉出,状似鲤,而鳞细如鳟,肉肥而美,大者五六斤”故有丙穴鱼之称。今雅安丙灵、望鱼、周河等乡,为周公河上游,是雅鱼的老家。周公河自南向北入青衣江,“江溅碧绿, 红石齿齿”,水深穴多,流缓且多藻类、浮游等物,此乃雅鱼之天地。大概其名也源于此。

雅鱼具有滋补、药用之效能。《本草纲目》引《开宝本草》等说:丙穴鱼“常于崖石下孔中,食乳石沫,故补益也。此鱼食乳水,功用同乳。能久食之,力强于乳,似有英鸡。”宋代川籍医药家唐审元的《重修政和经史证类备用草本》载:“嘉鱼,味甘无毒,食之令人肥健,治胃虚消渴及劳损羸瘦,皆煮食之。”故宋祁说:嘉鱼,“今雅州有之,蜀人甚珍其味”。

在雅鱼的吃法中,最有特色的还要算“砂锅雅鱼”。这道川菜名肴,选用雅属荥经县特有的白鳝泥烧制的“荥经砂锅”做烹具。该砂锅能耐200℃高温,有升温均、散热慢、无毒、不串味等特点。以一斤左右的鲜活雅鱼为主料,配海参、鱿鱼、金钩、山菇、玉兰片、小磨豆腐、熟猪心、舌、肚、鸡块及特制奶汤等为辅料,先下鱼头熬十几分钟后,下鱼身,再加盐、酒、姜、葱、蒜、胡椒、味精等。煮熟后连锅上桌,汤汁滚沸,鲜香四溢,加上乡土砂锅,那更是别具一番滋味。可以这样说,砂锅雅鱼是千百年来美食美器的结晶。也难怪杜甫在《将赴成都草堂,途中有作,先寄严郑公五首》的诗中写道:“鱼知丙穴由来美,酒忆郫筒不用酤。”

邛海肥鹜美板鸭

秦 彤

第二次世界大战期间,驻扎在成都的“盟军”,被一种形状似鹅的腌制食品的美味所倾倒,却不知所啖为何物,译事者戏称:此乃产自邛海边的腌“天鹅”,极为珍贵。因此,有的“盟军”在飞越“驼峰”时将其带到印度,甚至欧洲,休假时还带回美国,以馈赠亲友。邛海腌“天鹅”便香飘万里,名播海外。

其实,此腌“天鹅”,就是名闻省内外的西昌特产——建昌板鸭。西昌昔称“建昌”,当地有一独特的鸭种,肥硕粗壮,体型似鹅而颈略短,鸭喙前端有一如钩的肉质扁疣,状貌雄健,与普通家鸭大异其趣。西昌濒临四川第一大内陆淡水湖邛海,自古便盛产鸭子。在当地多处出土的汉代文物中,发现有养鸭的图案和陶制鸭俑,其状貌体型与如今建昌鸭无二,证实远在两千多年前该地区便已广泛饲鸭并独树一帜了。据当地口碑,建昌鸭非普通家鸭同类,是由鹜(野鸭)与鸿(大雁)经人工杂交长期培育而成,因此体貌肉质与普通家鸭迥然不同。

作为优良鸭种，早在清代以前便采用了人工填饲之法。育肥前,将鸭单独关在特制的狭笼内,使之不能活动,仅于笼上方开一洞,容鸭头颈伸出。饲料用大米、玉米煮熟后,捏成鸡蛋般粗细长条,掰成一二寸左右小段,佐以米汤强行灌下,每日二至三次。约二十天便育肥,重约二三公斤,皮下有层肥肉,可达一寸。建昌鸭在腌制时,绝不用任何香料和调料,亦不须烟熏,仅用食盐,这样才可保持其特殊香味。腌制好的板鸭白亮、润泽,雪脂色肥膘包裹其外,几乎不见红色鸭肉,滋味鲜美,妙不可言。以前,成都客商从西昌出货,必捎几只建昌板鸭,背货脚夫路途中却将板鸭煮后捞出，用油气极浓的原汤煮菜吃,如此者再三,以聊充“打牙祭”。到成都后,板鸭外观依旧,重量不变,老板是很难觉察的。

填肥的建昌鸭还有一宝——鸭肝。其肝色泽金黄,质地肥嫩,多重达半斤以上,因含油重,烹制不当则化为一汪油，味道鲜美异常，俗有“一室烹肝九室香”之喻。清宫廷筵席上建昌鸭肝已是珍品,可与飞龙、犴鼻媲美。然而西昌至京,长途跋涉,鲜肝日久则腐不能食。当地人保鲜自有妙法:以瓦罐盛满猪油,将鲜鸭肝浸泡其中。送至京师,虽逾月,仍鲜美如初。此法至今犹被采用。

建昌板鸭在清代便成为贡品，帝王席上佳

肴。说来还有一段掌故：清中叶，西昌有张姓富豪进京经商，攀附权贵，竟日与一帮父辈在朝中执掌权柄的八旗纨绔出入青楼酒肆，未几，资产荡尽。一日作竟夜赌博，至更阑时众腹中如鼓，张某出所带之建昌板鸭作宵夜，众纨绔皆大呼为平生仅尝之美味。张某趁机送鸭过府，转呈宫庭。张某因此一改潦倒处境，被委派回西昌办铜矿，遂成巨富。清宫宴席上从此多了一道珍馐。

尽管建昌板鸭早在清代便已香飘朝野，誉满四方，但由于西昌地处西南一隅，交通不便，且每只填鸭约费粮三四十斤，以致成本较高，价格昂贵，商业乏利，故无法推广，仅成为达官贵人、富商巨贾席上珍品和馈赠礼物。再者，建昌鸭移地饲养，则“橘北成枳”，难以群养，曾几度衰落，至今仍沿袭一家一户饲养、腌制的传统方法。

成都花会小吃

白　志

南宋赵抃《成都古今集记》载：“成都二月花市，各地花农辟圃卖花，陈列百卉，蔚为香国。”花市唐代已有，南宋就有一定规模。农历二月十五被认做是花的生日，称之为“花朝节”。所以到了这一天成都人总要去逛花市。到了清代花市更具规模。

青羊宫乃著名道观,建于唐代,最后一次维修增建在清同治十二年(1873)。农历二月十五这天,相传又是道教始祖老子的生日,因而每到这天就有不少信徒前往青羊宫进香朝拜,年年这样便形成了赶庙会的传统习俗,同时也使青羊宫附近的花市更加热闹。

光绪三十一年(1905)官府利用青羊宫花市之便在青羊宫举行"劝业会",邀集成都及附近各县的生意人,厂家来会展销自己的商品,并组织评比优劣。于是"成都花会"之名就被正式确定下来。入民国后,又设武术擂台赛,还有演唱川、京戏剧,曲艺等,丰富了花会内容,增添了多彩气氛。有成都竹枝词(《锦城竹枝词》)道:"流血相争笑此曹,会场新筑擂台高。就中拳法认优胜,夺得金牌兴自豪。"与此同时,成都各种饮食业也纷至沓来,既有荣乐园、竟成园、努力餐等著名的餐馆,也有赖汤元、龙抄手、小园、洞青云、聚丰源等名小吃店,还有挑担担的油糕、豆花、糍粑、叶儿粑、蛋烘糕、烤红苕、糖油果子、三大炮等多种小吃,令人目不暇接。据记载,1920年的花会小吃摊达四百二十八家,食品店三百四十家,杂货店三百九十一家,品类繁多。在花会上的锅魁就有十几种,打锅魁的师傅左手揉面,右手持擀面棒有节奏地敲击桌案发出"的的答答"明快的声音,活像川戏中的锣鼓声,总是引人注目。这种不起眼的食品,制作方便,香酥

可口，经济实惠。有竹枝词云："餐罢怡新又适宜,算来要费许多赀。价又简单还得吃,锅魁夹点兔丝丝。"

在花会上凉粉也是如此,品种之多,难以尽数,但有名的还要数洞子口凉粉和川北凉粉。正宗的洞子口凉粉有三家,他们是同胞兄弟,家住成都洞子口,很早就开始经营凉粉,人称"张凉粉"或"凉粉三杰"。三兄弟各挂牌子,即"洞子口张老二凉粉"、"洞子口张老三凉粉"、"洞子口张老五凉粉"。每逢成都花会他们总要参加,而且其摊子最叫座。他们打出来的凉粉筋丝好,入口有柔劲。黄凉粉麻辣咸鲜香,旋子凉粉咸甜麻辣酸鲜香七味皆备,辛香扑鼻,诱人食欲。川北凉粉,又名黄凉粉,是川中地方名小吃。它起源于农家的"婆婆凉粉",挑担子在街头巷尾或田边叫卖。1945年遂宁人王光南在县城天上街开店。他的凉粉质细,糯糍软绵,麻辣鲜香,风味别具,因之名声大噪,传播全川,人称之"川北凉粉"。竹枝词曰："豆花凉粉妙调和,日日担从市上过。生小女儿偏嗜辣,红油满碗不嫌多。"

赖汤元也是成都久负盛名的小吃。清代末年,赖鑫挑着汤元担沿街叫卖,人称"赖汤元"。民国初年,资阳人赖元兴随乡人入成都学厨,也挑担卖汤元。由于他的汤元小巧玲珑，味道香甜,人们又称"赖汤元"。前者已消失,后者却留了下来。赖元兴的汤元皮细且嫩,软糯馅多,煮时不浑汤,吃时不粘牙,不粘筷,不粘碗。其种类有芝麻、玫瑰、冰桔、细沙、枣泥、桂花、樱桃、麻酱等十余种,风味各异,香甜可口,因而在花会上特别叫好。

驰名中外的涪陵榨菜

张百三

涪陵榨菜是四川著名的传统土特产。它青似碧玉、红如玛瑙,鲜、香、嫩、脆,久储不坏、不锅不烂的独有特点名扬天下,可与西德的甜酸甘蓝、欧洲的酸黄瓜媲美,被誉为世界三大名腌菜之一。

清光绪二十四年(1898),资中人邓炳成,在涪陵荔枝乡田湾村邱寿安家中当长工。他仿照资中大头菜加工技术,以菜头作试验,制成特种腌菜,味道很好。

邓炳成首创腌菜之时,邱寿安正在湖北宜昌开设"荣生昌酱园",兼营各种腌菜业务。他回家见此情况,认为有利可图,便将两坛腌菜带到宜昌,邀人品尝。众人一致夸赞鲜美可口,为其他菜所不及。他便再次赶回涪陵老家,精心策划投资建厂,拜邓炳成为"掌脉师",并改进了风凉脱水和用木榨除盐水的加工方法,将此新产品取名为"榨菜"。次年,制作榨菜八十坛,以"涪陵榨菜"广告于市,运往宜昌,不到半月便销售一

空。单坛菜重五十斤，售价大洋三十三元。邱获厚利，遂令家中扩大制作，年产量高达八百坛之多。邱寿安还严令家人保密，不许将榨菜加工方法传给外人，也不许外人前往他家参观，榨菜制作技艺被垄断达十六年之久。

后来有一商人以及邻居骆兴合等，经过贿赂手段长期试探，终于掌握了榨菜加工技术。从此，欧炳胜、张彤云、骆培之、叶海丰、黎炳林、潘云胜、张茂云等，于1910年至1918年相继办起榨菜厂，榨菜年产量达一万五千多担。1930年以后，丰都、长寿等地，大小榨菜厂如雨后春笋，年产量高达十九万多担。1948年，年产高达二十一万多担。涪陵榨菜远销南北各省，沿长江水运武汉、南京、镇江、苏州、无锡，南由上海转运浙江、福建、广东，北由海上运往青岛、烟台、威海卫及东北三省。

榨菜何时进入国际市场呢？据1928年出版的施纪云主编的《涪陵县续修涪州志·食货志》载："近邱氏贩榨菜至上海，行销及海外。"此志所记史实限于1911年。由此可见，涪陵榨菜"行销及海外"的时间，不会晚于清末。

涪陵榨菜远销新加坡、菲律宾，甚至欧美各国。多少年来，以其鲜美的味道和丰富的营养，吸引了海外消费者，历久不衰，声誉与"四川银耳"媲美！

汉源花椒

叶　霜

泥巴山外老友以清溪贡椒赠余，案头顿起温馨红云，继而满室盈香矣！

近视之，椒粒红润饱满，芳香沁脾，多有并蒂者。诚如《汉源县志》所述："黎椒树如茱萸有刺，县中广产，以附城（今清溪）牛市坡（又称建黎）为最佳。因每粒有小粒附之，故称子母椒。"余忙以竹筐盛之，悬于通风处，半年后取视，椒香红如初。

川味讲究麻辣烫，椒之醇麻为首，可谓无麻不成川味：椒麻鸡、花椒熏牛肉、麻婆豆腐、山城火锅及诸般腌、卤、面食，均以汉源花椒佐之为上。余家以及成都乡人，一年四季所食菜肴，莫不与花椒为伴。

岁秋，余尝过相岭（泥巴山）南坡，得见秋阳朗照，椒红如霞，风急草劲，清溪古镇（原汉源县城）雄踞于椒丘间。是处沙壤不脊，正合椒之生计，若移植他处，则叶虽茂而无实。万物固有其生态环境，信夫！《离骚》吟道："杂申椒与菌桂兮，岂惟纫夫蕙茝？……步余马于兰皋兮，驰椒丘且焉止息。"椒固生于高丘，为珍贵之香木，高洁的诗人也乐于憩息椒丘。

汉章帝元和元年(84)清溪椒之上品正路花椒列为贡品,历贡一千八百二十余年,历任官吏以小红囊印记分遗,得者视为珍宝,布囊纸包相馈赠之习深入民间,代代沿袭。

翻阅古书,椒香透纸。杜牧《阿房宫赋》:“烟斜雾横,焚椒兰也。”真个是香烟袅袅秦时月。白居易《长恨歌》:“椒房阿监青娥老,又道是椒房冷落汉宫秋。”“椒房”即以椒和泥灰涂屋壁,取其温香辟虫,又意为多子多福,始于汉宫,为后妃宫室代称。“椒酒”亦始于汉,传之久远,范成大《癸巳元日》诗云:“匝地东风劝椒酒,山头今日是春台。”现代则喜椒油,汉源椒乡已推出“黎红牌”花椒油,其制作非浸泡也,乃以新采之椒全枝,沸油淋之而成。

花椒全身是宝,均具药用价值。椒籽黑亮称为“椒目”,有利尿消肿之功。余曾患龋齿,噙椒果一粒于痛处,旋即缓解。椒根可治白痢。椒叶椒枝可除虫避邪。余幼时常作椒水浴,皮肤病全消。《本草纲目》谓“椒辛温,性麻,去风杀虫”,概括确当。

银耳的烙印

东　方

位于大巴山麓我的老家通江，以盛产银耳

著名，成、渝、京、沪等地商号，都打着“通江银耳大王”的招牌，以广招徕。其实通江也不是全县都出银耳，只有我家住的涪阳区产量最丰，而且耳藏大、肉头厚、胶质重、色泽纯，为耳中之魁。涪阳区的气温一般是十八至二十五度之间，湿度在百分之八十五至九十之间，光照也适宜，成了银耳繁衍的摇篮。

生产银耳，人们先得有自己的“耳山”，但贫苦的农民只有几“板凳”或十来“板凳”的“耳棒”什么叫“耳棒”？就是砍成丈把长的青㭎木，用它在仰置的大板凳四脚里码，作为计数标志。有的辛苦经营一年仅仅收获二三两干银耳，卖给大户商家的钱，只够作为打油盐的家用。拥有大面积“耳山”的是地主老财，他们每年起码砍排几百板凳的“耳棒”，将耳棒架在耳山之上，一朵一朵像白色宝石花的银耳，长满一根一根的耳棒，全年要收几十斤干银耳，可进得上千银两。有的自产自销运往省外，那更是利达三江了。

银耳是高级滋补品，它有强心养血、健脾补肾、润肺止咳的功能。我家屋前的小小耳山，只能排三二十根板凳的“耳棒”，算是中等人家。那时我在读中学，父亲只要看见地下丢了一朵银耳，就会马上拾起吹去灰尘自言自语说：“要爱惜这些血汗，不然你娃娃读书哪来钱啊！”我曾眼馋馋地望着银耳，却从来没有尝过它，心里责怪父亲太悭吝了。恰因母亲操劳过度，一个冬天咳嗽不止，父亲慷慨的抓了一把给我，要我煨给母亲吃，眼见白绒绒如玉的耳瓣，真使人垂涎欲滴。

1948年秋，物价飞涨，每斤干银耳可卖二百万金圆券。父亲给了我半斤，带到重庆出售后，去北碚美专做学费。我到小梁子一家药房，那个狡黠的老板见我年轻，想踏价贱买，半斤只给五十万元，我抓起小口袋想走，他忙挽着添价，终于以九十万元金圆券成交……

银耳、银耳，我生长在银耳的产区，它给我留下了美好而又沉重的烙印。

趣谈蒙山顶上茶

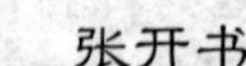
张开书

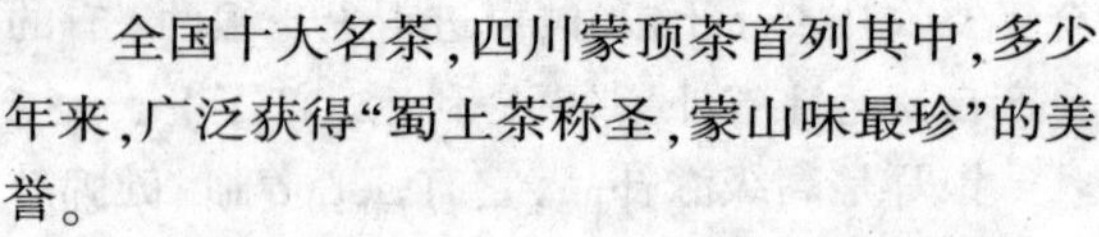
全国十大名茶，四川蒙顶茶首列其中，多少年来，广泛获得“蜀土茶称圣，蒙山味最珍”的美誉。

蒙顶茶产于名山县西的蒙山最高峰——上清峰顶。那里山高路险，常年雾霭低垂，冬无严寒，夏无酷暑，年平均气温在十三度左右，土壤多含酸性，为茶树提供了优越的自然条件。此茶一杯在手，香幽味美，清心明日，消食除腻，醒脑提神。许多文人学士题诗赞颂。如唐代白居易诗云“琴里知音唯缘水，茶中故旧是蒙山”就属一例。

据《名山县志》记载:“其叶细长而嫩,味甘而清,色黄而碧,多饮长寿。又曰仙茶,唐初列为贡茶。”早先,这种茶树并不多,《陇西余闻》甚至说它在明朝入贡京师,“岁仅一钱有奇”,那大概只能泡一杯水,白居易又从何而得?其意无非夸大稀有与珍贵罢了!

蒙顶茶发展到清末,已成小小林场格局。当地老茶农告诉我们,每年采茶是在谷雨时节。从前还要举行隆重的仪式:县太爷沐浴更衣,率领吏役组成仪仗队,敲锣打鼓,去到智矩寺摆设香案,张起经幡,祭拜天地。然后带着九个经过挑选的整洁的小和尚,登临上青峰。每个小和尚在七株茶树上采摘四十片,县太爷自采五片,合计为三百六十五片茶叶,喻意乃示一年吉祥。把这些茶叶盛回智矩寺焙制,焙制时边炒边揉,一芽一叶都得分开。直至搓揉成条状,再用微火窖干,装入锡盒,用黄绫封固,盖上岁印,择吉日飞骑送往京师。泡茶也很特别。传闻皇帝派专人至数千里外的扬了江汲水,驾着小船半夜划向江心,用新麻绳把盖拴严实的锡壶坠入河底,然后扯开盖子,灌满清水盖好,再将壶拉出水面,星夜飞骑送往京师……有时皇帝迎春时,就是用扬子江水泡蒙顶茶祭祀列祖列宗的,皇上表示了虔诚,才沏茶自己品饮。蒙顶茶受到这样殊荣的礼遇,真是亘古罕见的奇闻,所以,有“扬子江中水,蒙顶山上茶”的佳句流传至今。正回味老农的讲述,他端了两碗蒙顶茶来,我们打趣的

问：

“这是扬子江的水么？”

“现在没有皇帝了，早不兴那一套了。”

说后大家一齐哈哈大笑起来。

民国捐税琐谈

慧　海

民国时期，四川各军阀占地为王，在所驻防区内，横征暴敛，为所欲为。各县区，关卡林立，连市井小民也不能幸免，只鸡尺布、担薪挑菜皆纳捐税。苛捐杂税多如牛毛，不可胜举，时人有“自古未闻粪有税，而今只剩屁无捐”之叹。

预征田赋，为军阀聚敛的重要手段。1918年2月，刘存厚部败退绵阳，即在该县预征粮税一年，派兵勒收，首开民国以来四川田赋预征。同年石青阳部驻西充，借口靖国护法，预筹战费，向富绅借垫，以田赋作抵，波及全县农民。1919

年 10 月，又筹垫军饷四万元，急如星火。前债未了，后债又来，民不堪扰。当时民谣云："川滇黔，靖国联，不要脸，只要钱，劣绅揩油水，穷人喊皇天！"此后各军皆起而效尤，有预征田赋到民国四十五年、七十年者，可见川民负担之重。

苛捐杂税名目繁多，首推二十四军。其防区盛时达七十余县，除征粮外，尚有革命费、运输费、兵差费、烟苗捐、红灯捐、团防捐、懒捐、清乡费、过道捐等名目，人民早已不能胜任。1932 年 10 月，二十四军军部又以出兵康藏为名，向防区各县勒派"国防费"二千余万元，用作内战军费。而各乡保又和委员、县长狼狈为奸，任意加派，人民痛苦不堪。因作《国防歌》，以纪其痛。歌词云："国防捐，又出现。捐又多，又普遍！借得好题目，搜括又无算。吾侪老百姓，何方更逃窜？城中商民闻消息，颜色形容多惨淡。某号提议顶家具，某店商量收铺面。惟有各乡区，因有扣头甚欣羡。先饬书记开名姓，旋派团丁去传唤。此时余适在乡间，暗地随之且往看。只见老妇出蓬茅，鹑衣百结手先颤。据云今岁亦征粮，只有些须所蒂见。先生此日来催缴，我家现今糠当饭。团丁回曰团防捐，汝家派出二元半。老妇气结不能言，骇得浑身皆出汗。既哭且诉尚未完，铁石心肠已动念。来人亦稍有天良，许以三五日展限，迟期勿怪被锁押，收禁黑房带铁链……"此歌一字一泪，不忍卒读。古语有云"苛政猛于虎"，信然！

六译老人廖季平

左东枢

井研廖季平，乃吾川著名经学家，原名登廷，后改名平，号季平。1852年生，清光绪十六年(1890)庚寅德宗亲政恩科进士。例应实授知县，因性喜闲散，不愿为官，改铨龙安府(今平武县)教授。为此特书一联于门以自嘲云："百无一能何敢教；十有九分不像官。"曾受业于清季经学大师湖南王壬秋之门。演绎六经，著述宏富，达百数十种，有《诗经经释》、《易经经释》、《左氏春秋考证辨正》等书，均窥前人奥秘，有自己独到见解，因以"六译老人"自号。弟子遍川中，门人林思进曾将其著作刊行于世。先生晚年息影故里，笃古潜修。1932年仲夏，忽动游兴，往游乐山乌尤寺，瞻仰大佛，偶感风寒，服药未效，返研途中，6月5日行至河洱坎地方，溘然长逝，终年八十一岁。9月20日，国立四川大学发起追悼。10月9日，在成都南教场川大理法学院举行悼念大会，到数百人，备极哀肃。次年8月12日，国民政府明令予以褒扬，拨发治丧费二千元，在井研东林场修建墓园，并派省府委员一人前往致祭。当由于右任手书墓碑，公孙长子书国府《褒扬令》，林思进书《行述》。均刻石立于墓前。

刘存厚诗慰尹昌衡

左东枢

清末,四川创办新军,尚武崇洋。民国建立,军人干政,一时豪强并起,军阀辈出。元戎宿帅,当推刘存厚(号积之,1885—1960,简阳县人,民初历任川军师长、军长、川南总司令、四川督军、川陕边防督办等职,后来四川各军将领.多出其幕下)。他与尹昌衡(号硕权,彭县人,民初任四川军政府都督,以擒杀清督赵尔丰名震川中)系同庚同窗同袍三同好友。1903 年,二人同入四川陆军武备学堂第一期,1904 年春,同由川督锡良选送日本士官学校第六期学习(与云南唐继尧、李根源,湖南赵恒惕、程潜,山西阎锡山等同学),1909 年一同毕业回国,经北京军咨府及陆军部考试合格,又同被令派西南各省任职。辛亥革命,共和建国,尹任大汉四川军政府都督。为了位置故人,特拨库存精锐武器,成立四川陆军第四镇(师),以刘任统制(师长),倚为心膂。刘即以此起家,称雄西南,垂二十年之久。尹则因西征川边,被胡景伊乘机夺权,后即寓居成都,息影政坛,明哲终身。1931 年冬,刘重任军职,驻防达县,得尹寄赠近照,形容枯槁,颓然老翁,不复昔日之英姿飒爽、昂然伟丈夫,不禁感触万端，悲从中来，徘徊审顾，叹息者再，爰笔赋诗寄尹云：

忆昔与君扶桑游，仗剑从戎韬略修。携手论交长松下，凌云壮志欲吞牛。学成归国赴燕试，春风射策凤凰头。同学少年多不贱，京华衣马自轻裘。风虎云龙遭际会，共和建国博封侯。欲知肝胆问谁是，慨将兵柄付吾刘。感君缠绵不尽意，有如江水滔滔流。西夷无端启边衅，将军异域逞奇谋。功成身退足风世，英姿飒爽谁匹俦。一自渝州判袂后，君归锦里我通州。鱼书远寄无由达，停云落月心悠悠。十年相别长相忆，蓉城雁帛忽远投。开缄得见君真影，鹤貌鸠形一老叟。徘徊审顾三叹息，昔何挺俊今伛偻。醇酒妇人皆酖毒，荒溺成疾痼难瘳。曩年故旧半凋落，知己如君增我忧。愿君戒酒兼远色，屏除嗜好莫优柔。好乐无荒岁其暮，唐风良士真休休。

刘光第灵柩回富顺之传闻

刘海声

在富顺县赵化镇上，有这样一个传说：

“清朝戊戌政变，慈禧太后下旨杀害了刘光第、谭嗣同、杨锐、林旭、杨深秀、康广仁等“六君子”,但是老百姓却很同情“六君子”。北京城里的义侠“大刀王五”还派了一名高徒,暗中护送光第先生的灵柩回到赵化镇。看见赵化镇人民群众热热闹闹地为刘光第办了三天盛大的丧礼后,才离开赵化镇回北京去了。”

前些年，我亲自访问了光第先生的幼孙刘倜信和他家的亲戚廖俊明。他们说确有此事。据说在镇上办完丧事典礼后，刘光第夫人携带子女迁到场外普安砦居住。当天午夜已过,刘夫人尚在悲痛之中,子女围坐在室内还未就寝,忽听房上瓦片响动,似有人行走。刘夫人和孩子们大为惊恐,抱做一团,屏息静听,久之无声。第二天早晨起来各处查看,并无什么损失。只见正房墙搭出去的“茅草偏房”上,有一个深深的脚印。不远处的田埂上,遗下一双练武人的靴子。后来,大家说是“大刀王五”派来的门徒,见家乡人对刘光第先生一家很好,没有什么意外,所以告辞走了。

这些传说,使人感到有不解之处。最关键的是:为什么会知道北京“大刀王五”派人护送刘光第灵柩?又为什么会知道护送的人走了?可是他们都说不清。

后来我阅读到周善培(孝怀)的一段回忆刘光第的文章,也涉及到“大刀王五”派徒护送刘光第灵柩回川的事。周善培是赵熙的学生,当年他师徒二人都很敬重刘光第,视刘光第为师友。刘光第也赏识周善培的博学多才，曾拟聘为两个儿子的家庭教师，所以与刘家有较深的情感。光第先生殉难后，周善培随赵熙任教于泸州川南经纬学堂，曾到赵化镇探视刘夫人一家。据刘夫人张云仙讲：光第先生遇难后，“大刀王五”曾派人协助料理后事，又派徒弟送灵柩回川，以防路上发生意外。灵柩回到赵化镇，地方人士办了三天盛大祭祀后，护送的人要回北京去，张云仙送礼感谢，他坚决不受，张云仙只得带领儿子向他磕了几个头，他就告辞走了。

赵化镇上传说中的主要当事人只有“大刀王五”和他派出的一名徒弟，以及刘光第夫人张云仙和她幼小儿女，但都已作古人，无法请他们详证，也就难以解开“大刀王五”派来往返万里护灵的徒弟姓甚名谁，以及他怎样和刘夫人张云仙联系等具体情节之谜了。

曾琦挽孙中山的对联

汪　潜

孙中山先生于1925年3月12日在北京病逝，举国震悼。3月21日中国青年党主席曾琦在上海《醒狮》周报（青年党早期的机关报）第24号发表《挽孙中山先生》一副对联。文曰：

三十年革命辛勤，排满倒袁，百战相依惟一李！

廿一省人民属望，兴邦定国，千秋遗恨误三陈！

不少人对曾琦这副联语的作意作过分析研究。大家认为：一李，是指李烈钧。曾琦对李极为赞扬，辛亥革命、二次革命、护法战争，李烈钧都率军拥护孙中山先生。三陈，是指陈其美、陈炯明、陈独秀。曾琦对三陈均有贬词。陈其美在辛亥革命上海独立时任上海都督。陈在军政上措置失当，影响二次革命、护国战争的胜利，1916年陈自己亦被刺身亡。陈炯明参加辛亥革命后曾任广东都督，1917年孙中山先生将广东省长公署的二十营警卫军交给陈建立粤军，1920年陈任广东省长兼粤军总司令，1922年6月背叛孙中山先生，炮轰观音山总统府，迫使孙先生离穗。曾琦特别反对陈独秀支持孙中山改组国民党，实行联俄、联共、扶助农工的三大政策。曾琦尝戏谓"中山先生逢陈不利"。

"诗婢家"店名之由来

邹作圣

郑伯英，其父曾以装裱为业于蓉，伯英少年时亦习此技艺。1933年公孙长子定居成都，以鬻字为生。时伯英以川军某部录事退职居蓉一里巷，以装裱为业，时至桂王桥西街公孙寓处招揽生意,其技艺颇得公孙赞赏,为常主顾。次年,公孙迁羊市巷,伯英亦设店于羊市街,请公孙为题书店名。公孙以其郑姓,又为艺林服役,名其店为“诗婢家”,盖取郑玄之使女辈亦能以诗鸣也,并为书额。伯英此后着意进取,技艺日益精进,并以其店名典雅,名人题额,名重一时。

闲话双清馆

罗荣汉

1949年前的成都,无论在街市的匾额,“诗婢家”之类裱画店挂出的书画,以及名人官绅客厅里悬挂的书画上都常看到“双清馆主”、“静盦”的署名,它们都是当时川中著名书画家罗文谟的别号。

罗氏系四川荣县人,早年就读于上海美术专科学校,门出海粟大师。抗战伊始,罗定居成都,长期执教南虹艺专,金石书画俱佳,但以擅画梅竹驰名,自号双清馆主。1938年冬,国画大师张大千也从北平移居成都,与罗结成丹青至交,过从甚密,常合作挥毫,泼墨一纸。

刚返四川的张氏曾先期举家居住灌县青城山上清宫。翌年,罗氏应约,也举家居住青城山玉清宫。两人常一道谈诗论画,切磋笔艺。下山以后,两家又寓居成都老西门外,以便躲避日机

经常性的偷袭、轰炸。

1983 年第 3 期《龙门阵》封底，刊发了一幅大千先生在 1941 年 3 月为川剧名演员陈书舫(时年十六岁)画的小像。画中有文谟先生的题诗，署名静盦，实际是他的夫人许子睿的作品。诗云："风前豆蔻淡凝妆，曲罢霓裳舞袖香，且喜髯翁能解意，写将心事寄萧湘。"

1943 年秋，罗氏通过在成都、上海，南京等地举行个人书画展览积资，在成都西城三道街购下私宅，经修葺并在庭院内种植梅竹等花草树木后，便落成双清馆，除门额上由谢无量书"静盦"二字外，堂屋内外还悬挂着不少名人墨客撰送的匾对，其中不少正是主人的写照。

除大千先生外，罗氏与当时的书画界名流徐悲鸿、张书旂、黄君璧、谢稚柳、董寿平、沈尹默、林君默、芮善等也交往密切，常雅集笔交。

三台仁慈医院

金文明

清光绪二十八年(1902)，英基督教公谊会派遣英国人范瑞辅来三台，以六百三十两银租赁后小湾街陈全忠等五人土地二十余亩，开办三台仁慈医院，英人卢华棣负责医务工作。这个医院开办经费主要来源于"玉龙教案"赔款。"玉龙教案”发生在清末，基督教公谊会英人陶维廉等男女数人，从射洪到盐亭县传教，行至玉龙镇附近，见庙中有人打牌，便进庙观看。赌者初见洋人，甚觉惊奇，不约而同地站起来。陶维廉诸人以为众人来殴，转身便跑，众人尾追，附近农民亦前来观看。陶维廉惊恐已极，仓惶中不慎跌倒水田中。待到玉龙镇时，不敢行走，便央求乡官护送。到了盐亭，陶维廉要求县府“赔偿损失”。盐亭以“未事先通知”为由，拒绝赔款，遂将此案呈转潼川府(三台)。后来英国领事馆要四川总督查办。由于清廷屈从洋人，潼川府官竟然承认赔款二千余元银币，且准外人租地，建教堂，办医院，讼事遂止。

三台仁慈医院院址设县城后小湾街。1902年仁慈医院落成，规模甚小，仅设置了女医院，且只看门诊。1922年设男医院，开有住院部。病床五十八张，分甲、乙、丙三个等级。住院病人分等交费，收治内、外、妇产科及儿科病人。

抗日战争初期，英籍医生卢华棣告老回国后，于1941年，由川北盐务管理局与三台公谊会洽定，增聘内外科医师。1942年1月1日更名为“三台联合医院”。抗日战争胜利后，联合医院撤销，仍恢复三台仁慈医院。1946年男女医院合并。

1949年后更名为三台县人民医院。

吴稚晖买吃回锅肉受窘

廖上柯

国民党元老吴敬恒稚晖先生，江苏武进人，谈话幽默风趣，为人们所喜闻乐听，因此他便成为新闻记者跟踪采访报道的对象。但他视此为纠缠，尽力避之。1935 年他来成都，一天在一间川菜馆里被几位记者发现。趋前一视，面前摆着一碟卤肉，两碟咸菜。记者问他，为何如此节约，他苦笑着说："别提了，适才正为此受着窘呢。我平时很喜欢吃四川味回锅肉，在京、沪时，隔不了好久就得去四川饭馆过过瘾。此番来到成都，很想尝一尝地道的回锅肉，于是走进这家饭馆，叫来一份回锅肉，可服务员马上放下脸来，满不高兴地说：'我们这里不卖狗肉，另外吃馆子罢！'我意识到我这一口难于改调的'苏白'引起了隔阂和麻烦，难于辩解。"大家都为吴抱屈，当即询问服务员是怎么回事。服务员说："这位老先生进得店来，要一份'肥狗肉'。你想，卖狗肉都是那些场前场后，那些摊、担搞的，在我们这儿不卖狗肉。"大家这才明白服务员把吴的苏白"回锅肉"，听成"肥狗肉"了，惹得大家哄堂大笑。当店里知道这是位中央大员，专来品尝地道成都回锅肉后，为了弥补适才由于语言隔阂酿

成的误会，特地由灶上熬制加料回锅肉。吴品尝后，满意地说："道地川味，毕竟不同，不虚此行了。"

日光烤熟生鸭子

伍仕谦

1982年9月11日《北京日报》刊有一篇报导，谓"清代有人利用太阳能"，内容大概是"中日战争时，四川贡生萧开泰对光学颇有研究，他曾建议用聚光镜引日光发火以对付日本军舰，后被清政府斥为无稽之谈。后来他回成都开了一个烤鸭店，用镜引火熏炙鸭子，不用一般炭火"。以后有一些报刊转载了这则报导，并称萧开泰是中国最早发明太阳灶的人。

我和萧开泰是同乡，又是他儿子萧洁尘先生的学生，他的孙儿萧树慈又是我高中同学。我对这个报导曾经进行深入探索。《北京日报》所记内容，《清人逸事》一书记之甚详，不再赘述。曾与萧洁尘同过学的四川大学教授任乃强，早年所作《四川史地》第三十八章"清代蜀士"下，也详载萧开泰事迹。大意是："萧开泰，字汝阶，洪雅人。留心时务，专研算术，著自强斋数学十余种，瞿鸿机督学四川，拔取同文馆学生。时值甲午战争，开泰数上条陈，言测绘战守器具中，有制火镜焚敌舰一条，大为世诟病，开泰愤而归，自制各种器具，其玻镜能焚小物，烤炙鸭猪肉。又制木鸢传信，盐井起水机，多有用者。庚子年，乡人目为洋教，烧毁其居室与其制品，仅只身逃免。著有《洗耻刍言》详列其制器诸说。使竟其业，未必不成一盛业也。”我于 1989 年正月曾亲访任乃强询问萧先生烤鸭铺的事。任先生以其近作《自然辩证法学术研究》1982 年第 1 期中的一篇文章送给我，内中记载："萧开泰也是一生潦倒，只曾经利用日光能烤熟了一生鸭子，赢得了一次东道。”任先生还说：近人沃丘仲子曾作《近代名人小传》一书，有萧开泰的详细记载。至于开烤鸭店一事那只是夸大的说法。不过事出有因。萧在北京，被人讥讽，说他是封神榜上火龙真人的徒弟，妄想祭起火镜，打败日本，升官发财。他一怒之下，回到成都，住在西马棚街。有一天，几个熟朋友和他打赌，如果他不用普通燃料，只用他制造的几面镜子，能把生鸭子烤熟，大家愿意请他吃一餐鱼翅大席。果然生鸭子烤熟了，赢得一次美餐。此事发生在民国初年，曾轰动了成都市。此后以讹传讹，传说扩大了，说他开日光烤鸭店。其实烤熟生鸭子，是千真万确的，开店的事，是没有的。说他是太阳灶的创始人，这一点也不过分。在世界上 20 世纪 20 年代，科技界并没有太阳灶的记载啊。

我觉得任乃强先生已经把这件事澄清了。

后记

在中央文史研究馆的领导下，受《新编文史笔记丛书》编辑部的委托，由四川省文史研究馆编写的《巴蜀述闻》、《益州集粹》已经完成。书中文稿多以纪实的手法，叙述人物轶事、史海、艺苑、民族宗教、山川胜迹、饮膳等方面的往事，反映出四川从清末民初至1949年间社会的一个侧面。

《益州集粹》除个别栏目有所调整外，其基本风貌与《巴蜀述闻》保持了一致。在《益州集粹》有限的篇幅内，我们着意表现了四川的民族风情和川味意韵，以飨读者。

《巴蜀述闻》和《益州集粹》是知识性和趣味性的读物，我们期望此书的出版能对读者了解四川的过去有所帮助。这两本书在编辑过程中，甚得社会各界人士的大力支持，特致以衷心的感谢。由于我们水平有限，书中疏漏之处，恳望专家学者和广大读者批评指正。

本书主编为四川省文史研究馆副馆长高朴实、四川省社会科学院研究生部教授李有明、四川人民出版社副编审张小谷；编辑有(按姓氏笔画为序)安山、李华飞、郑永康、张熙柏、夏寿北。

编　者